BASTEI
LÜBBE
TASCHENBUCH

Titel auch als E-Book erhältlich

Über die Autoren:

Zohre Esmaeli ist das einzige bekannte afghanische Model der Welt. Neben dieser Arbeit engagiert sie sich für die Rechte afghanischer Frauen und unterstützt in einer Stiftung Hilfsprojekte in ihrer Heimat.

Barbara Opitz schreibt als freie Journalistin für das Wirtschaftsmagazin *brand eins*, den *stern*, die *taz* und *spiegel online*. Kuno Kruse, Reporter beim *stern*, war Redakteur der *taz*, des *Spiegel* und der *Zeit*. Für seine Reportagen wurde er mit den bedeutendsten Journalistenpreisen ausgezeichnet, wie dem Theodor-Wolf- und dem Egon-Erwin-Kisch Preis.

Zohre Esmaeli
mit Barbara Opitz und Kuno Kruse

MEINE NEUE FREIHEIT

Von Kabul über den Laufsteg zu mir selbst

BASTEI LÜBBE TASCHENBUCH
Band 60772

1. Auflage: Februar 2014
2. Auflage: März 2014

Dieser Titel ist auch als E-Book erschienen

Dieses Buch erzählt eine wahre Geschichte.
Zum Schutz der Rechte der Personen sind einige Namen geändert.

Originalausgabe

Textredaktion: Dr. Ulrike Strerath-Bolz, Friedberg
Titelbild: © Zohre Esmaeli
Gedicht auf Seite 4/5 mit freundlicher Genehmigung von
Dr. Reza Behmanesh
Umschlaggestaltung: © Manuela Städele
Satz: hanseatenSatz-bremen, Bremen
Gesetzt aus der Stempel Garamond
Druck und Verarbeitung: GGP Media GmbH, Pößneck
Printed in Germany
ISBN 978-3-404-60772-3

Sie finden uns im Internet unter
www. luebbe.de
Bitte beachten Sie auch: www.lesejury.de

Für meine Mutter

Azadi – Freiheit

دوکتوررضا بهمنش

Wenn meine Freunde in unserem Dorf die Schrift und das Lesen entbehren,
wenn sie der Freude entsagen müssen,
wenn Fortschritt und Entwicklung mit 1000 Fäden an Füßen gefesselt sind,
und dazu verurteilt, auf der Stelle zu treten,
wenn die Wenigen hier auf Kosten der Vielen, die arm bleiben und unterdrückt, ihren Reichtum sichern,
dann möchte ich nicht von Freiheit reden.

Wenn meine Mutter in ihrem Haus wie im Gefängnis sitzt,
wenn meine Schwester dieses Schicksal mit ihr teilt,
wenn sie, geschmiedet an die Ketten aus Glauben, Tradition und Bräuchen, bitter weinen,
wenn so viele meiner Familie solches Schicksal erdulden,
dann möchte ich nicht von Freiheit reden.

Wenn unsere Frauen auf den Straßen unter einer Burka wie in einem Käfig bleiben,
wenn ihre Augen, Ohren und Zungen unter dem Kopftuch verborgen sind,
wenn in meiner Mutter Heimat Beleidigungen und Er-

niedrigungen, Peitschen und Schläge noch immer Alltag sind,
dann möchte ich nicht von Freiheit reden.

Wenn einer von der Freiheit reden will, dann lasst ihn reden, er denkt, er habe recht.
Menschen und Stämme herrschen auf ewig, und immer haben sie recht.
Die anderen ertragen Unterjochung und fallen in Not.
Hier, nein, werde ich nicht von der Freiheit reden.

Hier, in dieser Heimat, wo die Flügel der Banden, Mörder, Kriegsverbrecher und Feinde von Wissenschaft und Erziehung frei schwingen,
die Flügel aller anderen aber gebunden sind und gebrochen,
wo Leib, Seele und Würde der Menschen in den Staub getreten werden,
von den Unwürdigen, die ihre eigene Seele lange schon verkauft haben,
hier, wo rückständige Führer in schnellen Schritten und gezielt wie nie zuvor,
zurück ins Mittelalter eilen und die Nation in Strudel und Tiefe reißen,
hier, nein, da werde ich nicht von der Freiheit reden.

Die Freiheit, dieses in meiner Heimat so seltene Gut, so unauffindbar wie das Elixier eines Krauts, das nicht auf unserer Erde wächst.
Hier möchte ich nicht von Freiheit reden.

Reza Behmanesh

TEIL 1

KAPITEL 1

An der Wand, vor dem alten Tresen, hing das Telefon, beige, mit einer Drehscheibe. Es hing etwas schief, als sei es dort nur provisorisch befestigt worden. Die Schnur war so kurz, dass ich gegen die Wand starren musste, um den Hörer am Ohr halten zu können. Es war ein Montag im März 2004. Ich war seit einem Jahr nicht mehr in Kassel gewesen.

»Hallo«, sagte ich ins Telefon.

Ich hatte noch gar keine Nummer gewählt. Was sagte man jemandem, den man zu lange nicht gesprochen hatte?

Noch einmal probierte ich es: »Hallo.«

Meine Stimme hörte sich fremd an, sie hallte, so als spräche ich durch ein rostiges Rohr, wie sie früher überall herumlagen, als wir noch Kinder waren und in Kabul lebten. Sie lagen auf Schutthaufen, ragten aus lehmigen Mauern, aus denen der Regen sie langsam hervorgewaschen hatte, oder lagen am Straßenrand, im Staub.

Überall war Staub in Kabul, alles war mit dieser braungelben Schicht überzogen, selbst wenn es regnete. Dann schmierte sie, klebte auf den Schildern, auf Autos und Dächern. Ich stellte mir manchmal vor, dass alles sorgfältig mit einem großen Tuch poliert werden müsste, damit die Stadt vielleicht irgendwann wieder glänzen würde.

Wir griffen uns die Rohre und liefen hinter dem Gemüsehändler her, der jeden Tag mit seinem Karren durch unsere Straße zog und mit einem Megaphon die Frische seiner Waren anpries. Gurken, Paprika, Melonen.

»Melonen!«, rief ich durch das Rohr. Meine Stimme hörte sich fremd an, hohl, wie die eines Flaschengeistes. »Frische Melonen!«, rief ich.

In Kabul gab es Melonen, die so süß waren, dass man davon Halsschmerzen bekam. Ich konnte sie schon von Weitem riechen: ein satter, schwerer Duft, wie Parfum. Sie rochen nach Honig und Moschus. Manchmal, wenn meine Stiefmutter und meine Schwestern in der Küche verschwanden, um das Essen vorzubereiten, nahmen mein kleiner Bruder Salim und ich heimlich ein paar Münzen aus dem Krug. Sie waren als Notgroschen gedacht. Und wir kauften uns damit die größte und schönste Melone, die der Händler auf dem Karren hatte.

Es war kein Stehlen. Kein richtiges jedenfalls. Mein Vater achtete sehr darauf, dass wir Kinder genügend Obst aßen. Er kaufte viel Obst, denn wir waren sechs Kinder. Nach dem Essen stand immer eine Schale mit Orangen und prallen Nektarinen auf dem Tisch. Aber Melonen gab es selten. Und wenn Salim und ich endlich eine in den Händen hielten, versteckten wir uns unter der Steintreppe, die zum Hof führte, und aßen sie ganz allein auf, die ganze Melone, bis wir Bauchweh hatten. Nur die Kerne spuckten wir aus und legten sie in die Sonne zum Trocknen. Wenn man Melonenkerne in der Pfanne röstet und mit Salz bestreut, werden sie knusprig wie Chips. Ich habe in Deutschland nie wieder Melonenkerne geröstet, und ich habe nie wieder so süße Melonen gerochen.

Mein ältester Bruder Ramin verdiente damals schon eigenes Geld; er verkaufte Zigaretten und Kaugummis. Ramin hatte von meinem Onkel einen Bauchladen geschenkt bekommen, stabil und aus dunklem Holz, den er sich mit einem Gurt um den Nacken hängen konnte. Gleich nach der Schule sortierte er die Ware, schichtete sie sorgfältig in den dafür vorgesehenen Fächern auf und lief los.

In Kabul gab es viele Jungen, die mit so einem Bauchladen zum Familieneinkommen beitrugen. Ramin war mächtig stolz, eigenes Geld zu verdienen und meinen Vater damit zu unterstützen. Wie ein Erwachsener fühlte er sich dann. Es war also auch Ramins Geld, das in dem Krug lag und von dem wir uns heimlich Melonen kauften. Und Salim und ich waren uns sicher – zumindest redeten wir uns das ein –, dass unser ältester Bruder bestimmt nichts dagegen haben würde, wenn wir uns ein wenig davon nähmen.

Das war wichtig. Denn unser Vater hatte uns drei Dinge beigebracht, die wir in unserem Leben unter allen Umständen einhalten mussten:

Nicht stehlen.

Nicht lügen.

Und immer zusammenhalten.

Mein Vater ist kein gebildeter Mann. Man muss nicht die Schule besucht haben, um klug zu sein. Und mein Vater ist sehr klug.

Stehlen war etwas anderes. Das habe ich auch einmal getan. Ich war fünf, und ich wusste, dass ich etwas Verbotenes tat.

Ramins Ware lagerte in der Speisekammer. Es war ein schmaler, enger Raum. Die Speisekammer war ein wunderbarer Ort, dunkel und ein wenig muffig. Dort gab es neben Linsen, Erbsen und Reis auch gebrannte Mandeln, für Gäste, die manchmal zu Besuch kamen. Und dort standen die Stöckelschuhe meiner Schwester Mina. Sie waren aus schwarzem Lack, spitz und mit Pfennig-Absätzen. Mina stopfte sie immer mit Papier aus, damit sie ihre Form behielten. Sie trug diese Schuhe sehr selten, eigentlich nur zu Hochzeiten. Für mich waren sie ein Heiligtum, das man noch nicht einmal anfassen durfte, so bedeutend.

Im obersten Fach lag Ramins Ware. Die Kaugummis, Würfel aus einer grell-pinken Masse, waren mit feinem, grauem Papier umwickelt. Kaugummis waren mit das Wertvollste, was ein Kind in Kabul besitzen konnte. Ich nahm mir gleich zwei Pakete. In jedem Paket waren acht Kaugummis. Die Hälfte davon gab ich meinem kleinen Bruder Salim ab. Wir hatten großen Spaß an diesem Tag. Wer die größeren Blasen machte, hatte gewonnen. Wir bliesen, bis sie platzten und in einem zähen, dünnen Film an Nase, Kinn und Wangen klebten.

Dann kam Mina. Mina war die Älteste von uns – und die Strengste, strenger sogar als Vater. Sie holte einen Stock. Salim und ich bekamen jeder zehn Hiebe verpasst.

»Tuba kadom, Tuba kadom,« riefen wir, was so viel heißt wie: »Bei Gott, wir werden es nie wieder tun.« Dabei zogen wir uns selbst an beiden Ohrläppchen, in Afghanistan ein Zeichen tiefer Reue. Mina sollte nicht mehr böse auf uns sein.

Mein Vater fuhr in Afghanistan Lastwagen und blieb manchmal eine ganze Woche von zu Hause weg. Ich beneidete ihn darum, einfach loszufahren in seinem Lastwagen, an fremden Menschen und bunten Landschaften vorbei. Wie frei musste er sich fühlen, dachte ich damals. Wenn wir etwas ausgefressen hatten, Salim und ich, hofften wir, dass Mina es bis zu Vaters Rückkehr vielleicht vergessen hätte. Dieses Mal vergaß sie es nicht. Aber von unserem Vater bekamen wir keine Schläge. Er sah nur sehr traurig aus, fragte: »Chejalat Namekishi, duzi kar bissar bad ast?« Diebstahl ist etwas sehr Schlimmes. Schämt ihr euch nicht? Das war schmerzhafter als jeder Stockhieb. Wir schämten uns sehr, und ich habe nie wieder von den Kaugummis gestohlen.

Das mit den Melonen hat Mina nicht herausbekommen. Es ist Salims und mein süßes Geheimnis geblieben, die ganzen Jahre lang.

Und nun, an diesem Montag im März 2004 am Telefon, zwölf Jahre später und 6795 Kilometer von Kabul entfernt, zwischen Wand und altem Tresen, klang meine Stimme plötzlich wieder wie damals durch das Rohr, als ich die Melonen anpries, wie die eines Flaschengeistes, so weit, weit weg.

Was sagt man jemandem, den man zu lange nicht gesprochen hat? Und dem man so viel angetan hat, als seien hundert Jahre nicht genug, um zu vergessen?

»Hallo«, hörte ich mich noch einmal durch den Hörer sagen. Dieses Mal hatte ich die Nummer gewählt.

Stille am anderen Ende der Leitung. Dann: »Wer ist da?«

Pause.

»Ich bin es. Zohre.«

»Wo bist du?«

Die Stimme am anderen Ende klang nicht hohl wie meine, noch nicht einmal belegt. Sie klang wie immer, als hätte ich sie vor Tagen erst gehört, tief und warm. Sie gehörte dem Menschen, den ich am meisten vermisst hatte.

»Ich bin in der Stadt«, sagte ich.

Ein Jahr war es her, dass ich die Stimme meines Vaters das letzte Mal gehört hatte. Ein Jahr, dass ich von zu Hause weggelaufen war, geflüchtet war, meine Familie verlassen hatte.

Wir lebten da schon vier Jahre in Deutschland, in Kassel, genauer gesagt in Vellmar: Sachsenring, drei Hochhäuser, je sieben Etagen hoch. Doch für mich war es Afghanistan geblieben. Nicht schwimmen, nicht telefonieren, nicht Fahrrad fahren, Brüder, die über mich wachten. Mein Vater ließ es zu. In dieser Stadt war er ein anderer geworden, irgendwo auf dem Weg zum Asylbewerberamt, in dem er die Formulare nicht lesen konnte, oder beim Zahnarzt, den er nicht verstand. Oder aber in dem Supermarkt, in dem jeden Tag die blonde Frau an der Kasse saß, mit einem Jersey-Oberteil, das gerade einmal die Brustwarzen bedeckte. Nach ein paar Wochen ging mein Vater nicht mehr in den Supermarkt, sondern zum Türken, aus Angst, dass ihm jemand Schweinefleisch verkaufte. Nur wenn ich ihn lange beobachtete, seinen Gang, immer so aufrecht, erkannte ich sie noch, diese Würde, die ihn zu einem einzigartigen Menschen machte, für mich zum wichtigsten Menschen der Welt.

Als kleines Mädchen hatte ich ihn in Kabul oft heimlich vom Fenster aus beobachtet, wenn er sich im Hof wusch, als Vorbereitung zum Gebet. Es war das Erste, was er tat, wenn er von der Arbeit kam. Nicht wie meine Brüder, die manchmal mit dem Stock überzeugt werden mussten, zumindest aber mit Belehrungen.

Einmal hatte ich geträumt, er würde sterben. Es war ein strenger Winter in Kabul. Ich war so unglücklich, eine tiefe Trauer begleitete mich an diesem Tag, so als würde es nie wieder Sommer werden. Nie hatte ich mir vorstellen können, auch nur einige Wochen ohne meinen Vater zu sein.

Mein Herz hüpfte, als ich ihn an dem Tag endlich im Hof stehen sah, wie er sich über das Becken beugte, gleich neben dem Toilettenhäuschen, in klirrender Kälte. Er krempelte seine Ärmel hoch, fuhr dann mit der linken, nassen Hand von der Stirn zum Kinn, benetzte den rechten Unterarm mit Wasser, wusch mit der rechten Hand den linken Unterarm, fuhr über die Ellenbogen bis hinunter zu den Fingerspitzen, strich sich weiter vom Scheitel bis nach vorne in Richtung Haaransatz. Zuletzt glitt er mit der Hand von den großen Zehen zu den Knöcheln, mit gleichmäßigen Bewegungen, sehr langsam, wunderschön, wie ein trauriger Tanz sah das aus.

Als er endlich die Wohnstube betrat, stürmte ich auf ihn zu, umarmte und küsste ihn. »Was ist los, meine Kleine?«, fragte er. Ich erzählte von meinem Traum, und er nahm mich noch fester in den Arm. »Weißt du, Zohre«, sagte er, »es ist gut, dass du das geträumt hast. Denn immer wenn jemand so etwas träumt, dann lebt derjenige, der im Traum gestorben ist, im wahren Leben noch länger.«

Der Tag, an dem ich ihn verließ, war kalt. Ich stand um 6.30 Uhr auf, wie jeden Morgen, wenn ich zur Schule ging, wusch mein Gesicht, ging in die Küche, aß eine Scheibe Graubrot mit Erdbeermarmelade, wie ich es jeden Morgen getan hatte, seit wir in Deutschland lebten. Es war wie immer, nur, dass ich am Abend zuvor meine schwarze Reisetasche im Hausflur versteckt hatte, damit niemand, der morgens aufwachte, Verdacht schöpfte.

Als ich in den Morgen trat, waren die Bäume mit Raureif überzogen. Nur einmal drehte ich mich noch um. Das ganze Hochhaus war noch dunkel. Wie ein Riese warf es mit dem ersten Tageslicht seinen Schatten auf mich, als wollte es mich einfangen. Doch ich ließ mich nicht mehr fangen.

Es gibt Dinge, die auch Afghanen nicht verzeihen. Dann fallen Mädchen von Brücken, oder Autos fahren sie an, so etwas passiert in meiner Kultur. Meine Brüder würden mich suchen, das wusste ich.

Und an diesem Montag vor dem Telefon, im März 2004, wusste ich nicht, ob genug Zeit verstrichen war, ob ein Jahr genug war, um Frieden zu schließen mit dem, was ich getan hatte. Mit dem, was ich heute war.

Ich hatte ihn verlassen. Einfach so. Es hatte sich entwickelt. Und es hatte diesen einen Abend gegeben, an dem alles zu viel wurde und an dem ich entschied zu gehen. Mein Vater und ich stritten, ich weiß nicht mehr worüber, vielleicht war es das Internet, das ich nicht nutzen durfte und es trotzdem tat. Oder aber die Stunde, die ich länger gebraucht hatte, auf dem Weg von der Schule nach Hause, in der ich heimlich durch die Stadt schlenderte und durch die Geschäfte. Es fielen schlimme Worte, so schlimme Worte, wie sie in Deutschland keiner sagen würde. Afghanen können sehr gemeine Worte sagen, böse, laut und dreckig.

Wie ich sie gehasst habe, diese Worte, die ich von den Frauen kannte in Kabul, die im fettigen Dunst der Küche lästerten, so entsetzlich laut und böse. Frauen in Afghanistan konnten besonders gut schimpfen, gnadenlos, vielleicht, weil sie im Haus sonst nicht viel erlebten. Aus dem Mund meines Vaters hatte ich solche Worte noch nie gehört. Sie trafen mich, rammten sich tief in meinen Magen, wühlten in mir, sodass mir übel wurde. Und sie waren so böse und dreckig, dass ich sie bis heute nicht aussprechen kann. Sie bezeichneten etwas, was Männer denken, afghanische Männer, das abscheulichste über Frauen, die in Hamburg auf der Reeperbahn oder in Kassel an der Schillerstraße ihr Geld verdienen. Ich glaube nicht, dass Afghanen böser sind als Deutsche, nur weil sie diese Worte sagen. Sie gehen mit ihren Emotionen nur anders um, wie Kinder, benutzen Schimpfwörter schneller, wütender. Afghanen sind aber auch schneller im Verzeihen.

Ich bin, war immer schon, anders. Und an diesem Abend, als mein Vater diese bösen Worte zu mir sagte, merkte ich, dass ich nicht schnell verzeihen würde. Ich musste gehen.

KAPITEL 2

Ich war dreizehn, als ich das erste Mal mein Zuhause verließ, als wir aus Kabul fortgingen, weg von den Taliban. Die meisten meiner Geschwister waren schon geflüchtet. Mein Vater, meine Stiefmutter, mein kleinster Bruder Salim und ich, die Jüngste von allen, waren noch da. Und meine Schwester Mina, die schon einen Mann hatte und zwei Babys.

Einige Male schon hatten wir Kinder, Salim und ich, mitbekommen, wenn mein Vater mit meinen Onkeln darüber gesprochen hatte, dass es in Afghanistan keine Hoffnung mehr gäbe. Dass wir weg müssten aus Kabul. Sie saßen auf dem Teppich neben dem Ofen, machten ernste Gesichter und tranken Assam-Tee. Für mich waren es nichts als leere Versprechungen, eine Art Hinhaltetaktik, ausgedacht von meinen Eltern, damit ich artig bliebe. Immer wenn ich auf dem Markt mit den vielen schönen Dingen, den bunten Stoffen, schönen Tüchern, dem Schmuck, etwas haben wollte, bettelte, dass meine Stiefmutter mir doch bitte etwas kaufe, hieß es, das brauchen wir nicht mehr, wer weiß, ob wir nicht doch nach Deutschland gehen.

An diesem Nachmittag war es anders. Die Stirn meines Vaters warf tiefe Falten, er saß in einer Wolke aus blauem

Dunst, rauchte, was er sonst nie tat. Und schließlich wurden wir Kinder aufgefordert, uns in die Männerrunde zu begeben; auch das passierte sonst nie. Und als Vater dann sagte: »Wir gehen nach Deutschland«, einfach so, ohne Erklärung, ohne Einschränkung, ohne das Wort »wenn«, da wusste ich, dieses Mal würde es wahr.

In der Nacht konnte ich nicht schlafen. Salim ging es ebenso, wir redeten nicht darüber, aber er wälzte sich neben mir auf seiner Toshak. In Afghanistan gab es keine Betten, sondern Matten. Sie waren selbstgenäht und mit Wolle ausgestopft, die meine Stiefmutter aus alten Pullovern auftrennte. Da wir nur einen Raum hatten, in dem wir lebten und schliefen, waren die Toshaks praktisch. Am Tag sitzt man darauf oder rollt sie zusammen und verstaut sie in der Ecke. Salim und ich waren dafür zuständig. Manchmal stritten wir so heftig darüber, wer sie am Morgen ausklopfen und verstauen musste, dass wir uns schubsten und schlugen. Und ich glaube, in dieser Nacht schliefen auch mein Vater und meine Stiefmutter nicht, sondern dachten nach, jeder für sich, auf seiner Toshak.

Europa, das waren für mich die Kleider meiner Tante, die längst in Frankfurt wohnte und die uns zwei Mal besucht hatte. Wir Afghanen haben sehr viele Tanten, Onkel und Cousins. Es kam oft vor, dass Cousins oder Cousinen älter waren als Tanten und Onkel, das war bei uns so.

Diese Tante aber war eine besondere, weil sie aus Europa kam. Sie brachte immer Zahnbürsten und Paste mit, die nach Pfefferminze schmeckte, nicht nach Seife wie die aus Kabul. Und Gummibärchen für Salim und mich. Ein Jahr lang hielten sie und waren am Ende so hart, dass man sie im Mund mit Spucke aufweichen lassen musste, bevor man sie kaute. Meine Stiefmutter bewahrte sie in einer Truhe aus Metall auf, die man mit einem Schlüssel verschließen konnte und in der sie alles aufbewahrte, was ihr gehörte, die goldene Kette und ihre Kleidung. Die schnürte sie zu Paketen, bevor sie in die Truhe kamen, immer Hose und Kleid zu einem Paket. In Afghanistan trugen Frauen unter dem Kleid nämlich auch noch eine Hose. Und so musste meine Stiefmutter morgens nur einmal in die Truhe greifen.

Tücher und Burkas dagegen – meine Stiefmutter besaß eine himmelblaue wie ich auch – hingen direkt am Eingang, damit wir sie schnell überstülpen konnten, wenn wir auf die Straße treten mussten oder jemand klopfte, was nicht besonders oft geschah. Aber wenn es geschah, waren wir Frauen sehr aufgeregt, und es war wie ein Spiel. »Wo ist mein Kopftuch, schnell, wirf es herüber«, riefen wir dann alle durcheinander, kicherten. Ich fand die Aufregung immer ein wenig übertrieben, vielleicht verhielten wir uns so, weil sonst nicht viel passierte. Auf der anderen Seite wussten wir, wie gefährlich es war, die Tür mit verrutschtem Tuch zu öffnen. Es war in Afghanistan nämlich streng verboten, dass Frauen Fremden auch nur ein Haar zeigten.

Diese eine Tante jedenfalls trug keine Burka, obwohl fast alle Frauen in Kabul jetzt eine trugen. Sie bedeckte die Haare mit einem Tuch, das sie fest unter dem Kinn zusammenband, und trug dazu einen langen Mantel. Ich fand das mutig.

Wenn sie den Mantel ablegte, sah ich ihre Kleider. Sie waren so elegant, ich hatte so schöne Kleider noch nie gesehen. Und wie sie rochen, so sauber und frisch, wie nach Europa! Das letzte Mal ließ sie ihre Lederschuhe zurück, rot mit einem apfelgrünen Streifen in der Mitte. Sie waren mir viel zu groß, aber dennoch bin ich damit herumgelaufen, habe in der ganzen Nachbarschaft damit angegeben: Schuhe, die aus Deutschland kamen.

In dieser Nacht stellte ich mir vor, alles in Deutschland wäre so wie die Farben dieser Schuhe. Ich würde jeden Tag Saft trinken, mir eine Safttüte aus dem Kühlschrank nehmen und ein großes Glas damit füllen. Orangensaft, Traube oder Multivitamin. Meine Tante hatte davon erzählt. In Afghanistan gab es keinen solchen Saft aus Tüten. Wir tranken Wasser aus dem Tank, der am Ende unserer Straße stand und zu dem wir Kinder mit großen Tonkrügen geschickt wurden. Wir hatten auch einen eigenen Brunnen im Hof, doch der war voller Kakerlaken, das Wasser benutzten wir lediglich zum Putzen, Wäschewaschen oder gossen Bäume damit. In Deutschland würde Wasser aus einem Hahn fließen, wie ich es im Fernsehen gesehen hatte. Und ich würde mit offenen Haaren und in Jeans auf Gehwegen schlendern, entlang der Straßen, die mit glattem Asphalt überzogen sein würden, die Häuserfassaden würden sauber sein, aus Glas. Ich war sehr aufgeregt in dieser Nacht. Und gleichzeitig tief traurig. Keine Zeit in Afghanistan habe ich so intensiv erlebt wie diese acht Wochen bis zu unserer Flucht.

Wenn meine Stiefmutter mich zum Bäcker schickte, dachte ich jedes Mal, es könnte das letzte Mal sein. Ich ging über den Hof, in dem ich im Winter Schneehäuser baute, als ich meiner Stiefmutter noch nicht in der Küche helfen musste. Im Frühling, wenn der Schnee taute, blühten dort ein Kirsch- und ein Apfelbaum. Sogar Trauben hatten wir, die zwar sauer und daher ungenießbar waren, deren Blätter aber im Sommer Schatten spendeten. Wie oft hatte ich darum gebettelt, einmal im Hof schlafen zu dürfen, unter freiem Himmel, die Sterne zählen, von denen es in Kabul besonders viele gab, wenn wieder einmal Stromausfall war.

Ich ging an den Pappeln vorbei, die unsere Straße säumten und an die Zeit erinnerten, in der es in Kabul noch friedlich zuging. Ich hatte gehört, dass es früher einmal viel mehr Bäume in Kabul gegeben haben musste, vor dem Krieg und lange vor den Taliban. Doch die Sommer waren heiß und Wasser zu kostbar, um junge Bäume zu gießen. Und im Winter ist es kalt in Kabul, bitterkalt. Die Menschen brauchen Holz für ihre Öfen. Ich sog noch einmal den Duft der Stadt auf, die Gerüche von frischem Obst, Frittiertem und Abgasen, die sich mischten mit dem erbärmlichen Gestank aus den Rinnsalen neben den Gehwegen, die wie faule Eier rochen und nach Kot. Ich hörte das Knattern der alten Mofas, auf denen junge Männer saßen, um schneller durch den Stadtverkehr zu kommen.

Früher haben wir unser Brot selbst gebacken. Meine Stiefmutter konnte so gut Brot backen, dass sogar Nachbarn vorbeikamen, um es ihr abzukaufen. Im Hof, links neben der Treppe, unter der Salim und ich heimlich die Melonen aßen, war ein Loch im Boden eingelassen, in dem ein großer, bauchiger Tonbehälter steckte, unter dem man Feuer machte. Meine Stiefmutter teilte den Teig in gleich große Portionen, formte sie zu Kugeln, um sie dann von einer Hand in die andere zu klatschen, damit sie wieder flach würden. Sie war dabei so schnell, dass es beinahe aussah, als bliebe der Teig in der Luft stehen. Ich habe ein paarmal versucht, es nachzumachen, gab es aber bald auf: Niemals würde ich es so beherrschen wie meine Stiefmutter. Wenn der Teig flach genug war, warf sie ihn in der Mulde gegen die Tonwand, wo er kleben blieb und Blasen warf.

Die Brote schmeckten köstlich, besonders wenn sie mit Knoblauchöl bestrichen waren. Salim und ich bekamen zum Abendessen immer eigene Brote, ein wenig kleiner als die anderen, Kinderbrote. Wenn wir sie zwischen dem Fladenberg nicht gleich entdeckten, schrien wir schon: »Wo sind unsere? Wo sind unsere Brote?« Wir liebten es, eigene Brote zu bekommen, sie nicht mit anderen teilen zu müssen, sie ganz für uns zu haben.

Irgendwann übernahm der Bäcker die Arbeit unserer Stiefmutter, und von da an gab es auch keine Kinderbrote mehr. Wir seien zu alt dafür geworden, meinte auch Vater. Der Bäcker hatte auch so einen Ofen wie wir, nur war der viel größer. Den Teig brachten wir mit. Ich wurde nur sehr selten zum Bäcker geschickt; Mädchen durften sich nicht allein, ohne männliche Begleitung, außer Haus aufhalten. Nur im Notfall, wenn Vater und Salim nicht zu Hause waren und meine Mutter kochte, wurde ich geschickt. Im Laden warteten sie schon in einer langen Schlange, bis der Bäcker, schwitzend und mit weißer Haube auf dem Kopf, die Brote aus dem Ofen holte. Ich fand den Besuch immer sehr spannend. Besonders, weil ich dort Leute traf. Man beobachtete, musterte einander, vor allem die Frauen, sie gingen schließlich nicht oft aus. Trotz der Burka erkannte man sich anhand der Bewegungen – und der Schuhe. In Afghanistan haben die Frauen nicht gleich mehrere Paare, und Schuhe konnte man viele Jahre lang besitzen. Und wenn man in so einer Schlange stand, dann tratschte man, sodass man immer die neuesten Geschichten aus der Nachbarschaft kannte, wenn man vom Bäcker kam.

Ein einziges Mal nahm ich nicht den direkten Weg zurück zum Haus. Ein Gefühl stieg in mir auf, das passierte mir einfach ab und zu, es war etwas zwischen einer leichten Unruhe und der puren Freude, auf der Welt zu sein. Ich dachte, sie sei zu schön, um nicht erforscht zu werden. Meine Stiefmutter beschwor meinen Vater immer wieder, doch etwas dagegen zu unternehmen. Gegen diese Neugierde, die so gar nicht zu einem afghanischen Mädchen passte. Damit würde ich ihnen allen noch einmal viele Probleme bereiten. Sie hatte recht. Ich war nicht das brave Mädchen, das sie sich erhofft hatten, nicht in Kabul und schon gar nicht in Kassel. Damals hoffte ich, meine Eltern würden von diesem Ausflug nichts erfahren, was auch tatsächlich nie geschah.

Wenn mein Vater nicht arbeitete und einige Tage in Kabul blieb, dann gingen wir zusammen in einen der Telefonläden, die es an jeder Straßenecke gab, meine Stiefmutter, mein Vater und ich, weil ich darauf bestand, mitgehen zu dürfen. Aus diesen Läden konnte man überall hin telefonieren, sogar nach Europa. Sie heißen Mochaberat, man ging hinein, zog eine Nummer und wartete dann ziemlich lange, denn wie beim Bäcker gab es immer eine Schlange. Und wie beim Bäcker beobachtete man sich. Musterte sich von Kopf bis Fuß. Nur dass man sich in einem Mochaberat irgendwie besonders fühlte, wichtiger als beim Bäcker. Schließlich wussten alle, man würde vielleicht gleich mit jemandem aus dem Ausland sprechen. Wir waren wegen meines Bruders Ramin dort, der mittlerweile in Deutschland lebte. Wenn es so weit war, bekamen wir eine Kabine zugewiesen. Zu dritt war es schrecklich eng darin. Ich wollte auch mit Ramin sprechen und habe gebettelt, auch an den Hörer zu dürfen. Meine Stiefmutter verneinte meist, sie sagte, das koste zu viel. Dabei wollte ich nur kurz einmal Ramins Stimme hören.

An dem Tag, als ich vom Bäcker nicht direkt nach Hause ging, kam ich an einem solchen Telefonladen vorbei. Er lag ganz in der Nähe unseres Hauses. Von den Nachbarjungen hatte ich erfahren, dass es in diesem Laden einen Trick gab, um billig nach Europa zu telefonieren. Der Inhaber hatte vergessen, die teuren Ferngespräche zu sperren. Man musste deshalb vor der Nummer nur zwei Nullen wählen, und schon sparte man sehr viel Geld.

Mir würde schon nichts passieren, dachte ich, schließlich war ich hoch gewachsen und mein Gesicht hinter himmelblauem Gitter-Stoff versteckt. Seit meinem neunten Geburtstag trug ich diese Burka. Und tatsächlich war es ganz einfach. Ich wählte zweimal die Null und dann die Nummer meines Bruders. Als er abhob und ich seine Stimme hörte, legte ich ganz schnell wieder auf. Der Besitzer des Telefonladens, ein kleiner Mann mit großen, abstehenden Ohren, dem ich nur ein Ortsgespräch zahlte, war zum Glück mehr an den paar Münzen interessiert, als daran, ein Mädchen ohne Begleitung bei den Taliban anzuschwärzen, die an jeder Straßenecke patrouillierten und nur darauf warteten, dass irgendjemand, ob Frau oder Mann, etwas Verbotenes tat. Um ihn oder sie dann auszupeitschen, auf offener Straße, damit die anderen, die das sahen, Angst bekämen und diesen Fehler nicht auch machten.

Einmal hörte ich, wie mein Vater und mein Onkel darüber sprachen, dass die Taliban auf einer Hochzeitsfeier allen Gästen den Kopf abgeschnitten hatten, mit einem ganz einfachen Messer, weil die Musik zu laut war. Ich glaube, man konnte in den Augen dieser Männer mit den langen Bärten und den Waffen viele Fehler machen, denn die Scharia hat mehr als tausend Regeln; so viele Regeln jedenfalls, dass man sie unmöglich alle im Kopf behalten kann. Und da diese Männer ebenfalls unmöglich alle Regeln im Kopf behalten konnten, bin ich sicher, sie erfanden welche.

Auch wenn in Afghanistan Krieg herrschte und Angst, hatten wir nur dieses Leben, unser Leben. Und in dem Afghanistan, in das die Taliban den Terror brachten, schien trotzdem die Sonne. Es ist schwer zu erklären, aber Menschen gewöhnen sich an vieles. Sie müssen sich daran gewöhnen, um es zu ertragen. Die Burka war jedenfalls auch zu etwas gut, so sah ich das. Sie schützte nicht nur vor den Blicken der Männer – die waren mir egal. Sie schützte vor den Blicken dieser Männer mit den Bärten und den Waffen.

Der Tag, an dem wir unsere Heimat verlassen sollten, kam näher. Ich erkannte es daran, dass nach und nach Dinge aus unserem Haus und damit aus unserem Leben verschwanden. Mich schmerzte es, sie wegzugeben. Ich dachte, wenn wir es vielleicht nicht schafften bis nach Deutschland, würden wir zwei Leben brauchen, um all diese Dinge neu zu besorgen. Doch wir brauchten Geld und keine Dinge, erklärte mein Vater. Und in Afghanistan bekam man gutes Geld für Gebrauchtes, es hat einen anderen Wert als hier in Deutschland. Nachbarn und Verwandte kamen, um die Stücke zu begutachten, obwohl es gefährlich war, so vielen zu verraten, dass wir gingen. In jenen Tagen konnte man keinem trauen. Wohin wir gehen wollten, das wussten deshalb die wenigsten. Den Staubsauger, den meine Schwester Nessrin, die längst in Kanada lebte, uns geschenkt hatte, bekam einer unserer Onkel.

Für uns Kinder war der Staubsauger eine Wundermaschine. Salim und ich mussten unseren Teppich, einen braunen mit beigen Blumen, auf dem wir schliefen und aßen, jeden Tag mit dem Handbesen sauber fegen. Wir besaßen noch einen zweiten Teppich, einen schönen, bunten, handgeknüpft.

Jeden Krumen, jede Fluse lasen wir von ihm einzeln mit der Hand auf. Sonst verlöre er seine Schönheit, sagte meine Stiefmutter. Zu unserem Bedauern traute sie der Wundermaschine nicht, und wir mussten weiter mit Besen und Händen arbeiten. Meine Stiefmutter befürchtete, die Teppiche würden vielleicht eingesaugt.

Eine Stickerei, die das Gesicht von Madonna zeigte, der Pop-Sängerin aus Amerika, und die Mina zum Ärger meines Vaters irgendwann im Flur, gleich neben der Eingangstür an einem Nagel aufgehängt hatte, war mir besonders wichtig. Ich wollte das Bild unbedingt mit nach Deutschland nehmen, ließ mich aber überreden, denn auf der Flucht würde so ein Bild stören, das sah ich ein. Argwöhnisch verfolgte ich das Verkaufsgespräch, das Mina mit einem Mädchen aus der Nachbarschaft führte. Es hielt die Stickerei, 30 mal 30 Zentimeter, in den Händen, als gehörte sie schon nicht mehr uns.

Nessrin und Mina hatten die Vorlage auf dem Bazar gekauft. Der Bazar in Kabul war ein Markt, bunt und so überraschend wie eine Wundertüte, tausend Stände dicht an dicht. Es war egal, welcher Stand auf welchen folgte, es gab keine Ordnung, zumindest keine für mich ersichtliche.

Da war der dicke Mann, der Unterwäsche verkaufte, natürlich nur für Männer. Dort kaufte meine Stiefmutter die Unterhemden für Vater, langärmlig, Männer tragen sie in Afghanistan immer und überall, entweder unter dem Oberhemd oder einfach ohne etwas darüber. Direkt nebenan wurde Gemüse verkauft, und Fleisch. Anders als in Deutschland beim Metzger konnte man in Afghanistan genau erkennen, welches Fleisch einmal welches Tier gewesen war. Ein Huhn zum Beispiel, das bleich wie eine Wasserleiche kopfüber und mit den Krallen an einem Haken hing, war immer noch ein ganzes Huhn. Man kann vieles von Hühnern verwerten, nicht nur die Schenkel und die Brust. Wenn man die Krallen lange genug in der Suppe kocht, schmeckt diese sehr aromatisch.

Besonders günstig wurde es, wenn man das Huhn mit Federn kaufte. Meine Stiefmutter rupfte es dann selbst zu Hause. So sparten wir Geld. Einmal habe ich mir aus der Küche zwei Hühnerkrallen stibitzt, mit einer Kordel um meine Handgelenke gebunden und damit im Hof herumgescharrt. Ich wollte wissen, wie es wäre, ein Huhn zu sein. Meine Stiefmutter und meine Schwestern schimpften natürlich, als sie mich dabei erwischten. Ich bekam wieder einmal Schläge mit dem Stock. Mit Essen spiele man nicht, hieß es, schon gar nicht in Afghanistan.

Die Stickbilder-Vorlagen kaufte man bei den Stoffen. Madonnas Augenlider hatte meine Schwestern mit einem silbrigen Faden gestickt, ihr blondes Haar mit gelber Wolle. Und sogar Madonnas aufgeklebtes Muttermal – ich habe erst in Deutschland erfahren, dass es kein echtes ist – war mit fünf Stichen in der Vorlage bedacht. Ich bin mir sicher, dass meine Schwester Madonna nur von dieser Stickvorlage her kannte. Doch als das Nachbarmädchen begann, sich für das Bild zu interessieren, gab Mina mächtig an, so als wäre sie selbst bei einem der Konzerte dabei gewesen. Versprach, dass es eine so berühmte Sängerin sei, dass man sie in hundert Jahren noch kenne. Es wirkte: Das Bild hatten wir sofort verkauft.

Ganz Kabul durchdrang das bittersüße Gefühl von Abschiedsschmerz. Da waren die beiden Nachbarjungen, von denen ich das mit den Nullen vor der Telefonnummer erfahren hatte und die ich eigentlich nicht mochte, weil sie mich immer ärgerten und mit meinen Brüdern die Drachen steigen ließen, als die Taliban das Drachensteigen noch nicht gänzlich verboten hatten. Sie machten das weit weg von unserer Straße, während ich, das Mädchen, zu Hause bleiben musste. Sogar die beiden würde ich vermissen.

Und Jasmin. Jasmin war meine Freundin gewesen. Sie wohnte neben uns. Jasmin kannte ich, seit ich auf der Welt war, denn ich wurde drei Tage nach ihr geboren. Sie war eine richtige Freundin. Auch Kinder, kleine Kinder, können verwandte Seelen erkennen. Und es gab eine Zeit, in der waren Jasmin und ich unzertrennlich, spielten Fangen im Hof oder Vater-Mutter-Kind. Ich war meist der Vater, und unsere Kinder dachten wir uns aus, denn Salim, den ich für die Rolle durchaus für geeignet hielt, weigerte sich partout mitzuspielen. Und auch wenn Jasmin einmal nicht Mutter, sondern Vater sein wollte, war das für mich in Ordnung. Doch dann veränderte sie sich. Ihr war etwas passiert, etwas, was man schwer erzählen kann. Das in ihrer Familie passiert war.

In meinem letzten Jahr in Kabul habe ich sie noch nicht einmal mehr gesehen. Das Schlimmste für mich war, dass ich ihr nicht sagen konnte, dass ich gehen würde. Nicht nach so langer Zeit, in der ich nicht mit ihr gesprochen hatte.

KAPITEL 3

Ich war zuversichtlich, dass wir es schaffen würden, nach Deutschland zu kommen. Doch was sollte ich mit auf die Reise nehmen? Was zurücklassen? Und – würde man mir in Deutschland ansehen, dass ich nicht von dort käme? Meine Fragen blieben unbeantwortet, denn sie fanden bei den Erwachsenen einfach kein Gehör. Vater war merkwürdig schweigsam, brummte ständig Suren in seinen langen Bart, spitzte dann die Lippen und gab ein leises »Pfhuuu« von sich, was er auch in Deutschland noch tat, jedes Mal, wenn er zum Sozialamt musste, um dem Inhalt seines Gebets Nachdruck zu verleihen, damit es auch ja wahr würde. Etwa so, wie wenn wir Kinder, nachdem wir uns etwas geschworen hatten, jedes Mal danach auf den Boden spuckten.

Minas schlechte Laune wuchs ins Unermessliche, und meine Stiefmutter rannte den ganzen Tag in der Küche umher und gab Anweisungen. Zohre mach dies, Zohre mach jenes. Ihre Stimme hallte durch das seelenlos gewordene Haus. Ich begoss den Boden im Hof mit Wasser, damit der Staub sich legte und es wieder frisch nach Erde roch, half Mina bei der Wäsche und brachte den Nachbarinnen ihre Teller und Schüsseln zurück, die sie uns geliehen hatten. Unsere waren ja verkauft. Als ich von einem dieser Botengänge zurückkam, duftete es nach Khajūr, einem in Öl gebackenen Kuchen, den es ab und zu freitags gab, wenn die ganze Familie zum Tee zusammenkam. Der Kuchen hält eigentlich viele Monate, nur nicht bei uns, denn wir aßen ihn immer gleich auf. Ich lief in die Küche und schob mir ein Stück in den Mund.

Mina reagierte ganz hysterisch, als sie das sah, und schimpfte. Ich sei ein Schwachkopf, der Kuchen sei für die Fahrt. Ich würde allen noch den Tod bringen. Ich äffte sie nach. Ich konnte nicht ahnen, dass dieser Kuchen uns tatsächlich bald das Leben retten würde.

Einmal noch gingen wir alle zusammen zum Basar, um Kleidung zu kaufen, westliche, damit wir in Europa nicht allzu sehr auffielen. Für mich war es wie eine große Bescherung, denn wir Kinder bekamen nur ein Mal im Jahr etwas zum Anziehen geschenkt, immer zum Neujahrsfest, das wir Muslime am 21. März feiern. Ich suchte mir zwei Hosen aus, eine helle, die ich besonders schön fand, für die Ankunft in Deutschland. Und eine dunkle für die Flucht, damit man den Schmutz nicht so sähe und die größer sein musste als die helle. Denn ich sollte beide Hosen übereinanderziehen, das sei sehr wichtig zum Schutz vor Kälte, sagte meine Stiefmutter. Das Schönste aber war die Reisetasche, die aussah wie der Westen, eine schwarze, die mit den Neon-Streifen und den drei Reißverschlüssen an der Seite.

Zu Hause packte ich gleich alles, was ich mitnehmen wollte, hinein. Die Pocahontas-Uhr, die mir meine Schwester Nessrin aus Kanada geschickt hatte und die ich erst einmal zu einer Hochzeit getragen hatte. Eine Kette mit Anhänger in Form eines Ankers und das Teeservice, das mein Vater mir einmal aus dem Hotel »Intercontinental« mitgebracht hatte, früher, als sich noch ein paar wenige Touristen nach Afghanistan verirrt hatten. Die Kanne war versilbert und hatte die Form einer Tulpe.

Mina regte sich über die Kanne in meiner Tasche schrecklich auf: Viel zu sperrig und zu schwer, schimpfte sie. Deshalb erwähnte ich das Poesiealbum gar nicht erst, das ich heimlich unter die sauber gefaltete Kleidung schob. Wir Kinder tauschten diese kleinen Alben in der Nachbarschaft aus, schrieben Verse und gute Wünsche hinein und machten Zeichnungen dazu. Jasmin hatte mir einen Schmetterling hineingemalt, der in Afghanistan ein Zeichen für Liebe und Zärtlichkeit ist, so wie in Deutschland das Herz.

Eigenartig, an den Tag, beziehungsweise an die Nacht, als wir endlich aufbrachen, erinnere ich mich nicht mehr. Sie ist wie ausgelöscht, als hätte ich die ganze Zeit geschlafen. Ob wir noch einmal auf den Koran schworen, wie es mein Bruder getan hatte, als er gegangen war, weiß ich nicht. Ich sehe nur noch den Lastwagen vor mir, mit seiner blauen Plane, und den Frachtraum darunter, in dem wir auf dem Boden kauerten. Rumpeln, dösen, Kindergeschrei. Alle paar Stunden nur hielt der Wagen. Dann konnten wir uns endlich zum Pinkeln hinhocken, nur auf die Straße, nicht hinter einen Baum. Das konnte in Afghanistan tödlich sein, wegen der Minen. Wieder rumpeln, weiterdösen, Dunkelheit. Wenn Kinder schlafen, träumen sie ihre Sorgen einfach fort. Ich wachte erst wieder auf, als wir nach etwa eineinhalb Tagen in Maschad waren, im Iran. Afghanistan lag hinter uns – und meine Sorgen vorerst auch.

Die Sonne schien, wir kamen in einer Art Gästehaus unter, »Mosafer Khane«, unsere erste Station auf der Flucht. »Khane« heißt Haus und »Mosafer« heißt der Reisende. Ich hatte schon von Mosafer Khanes gehört; Verwandte, die einmal vereist waren, hatten davon erzählt. Doch es war kein Haus für Reisende, denn ich bin sicher, dass in diesem Haus kein einziger Reisender zu finden war, nur Menschen wie wir, Flüchtende.

Das Zimmer war klein, aber es gefiel mir. Ich inspizierte jede Ecke. Es gab einen Stuhl, wenn auch nur einen, und in der anderen Ecke einen Gaskocher. Aber es hatte vier Betten. Ich hatte zuvor noch nie in einem richtigen Bett geschlafen.

Aber die Euphorie schwindet schnell, wenn man einer Sache überdrüssig wird, und sei sie noch so spannend. Und ich wurde des Zimmers schon am dritten Tag überdrüssig, denn wir durften es nicht verlassen. Maschad sei eine Stadt mit Pilgern aus aller Welt, erklärte mir mein Vater, weil dort der Schrein des heiligen Emam-Reza, eines Märtyrers, mit seiner Gouhardschad-Moschee liegt. Und genauso viele, wie es dort Pilger aus aller Welt gab, gab es in Maschad Flüchtlinge. Solche wie wir und solche, die nicht weiterzogen, weil sie immer noch hofften, dass Afghanistan irgendwann wieder das werden würde, was es einmal, vor Jahren, Jahrzehnten gewesen war. Bevor die Russen kamen, die Stammeskrieger und dann die Taliban.

Und weil sich so viele Flüchtlinge dort versteckten, gab es in Maschad auch viele Ausweiskontrollen. Wir sprachen einen Kabuler Dialekt, und wenn wir nicht entdeckt werden wollten, so sagte mein Vater, müssten wir unauffällig bleiben. Und am unauffälligsten war man, das sah ich sofort ein, wenn man so tat, als wäre man gar nicht da.

Sechsundzwanzig Tage und sechsundzwanzig Nächte verbrachten wir in dem Zimmer, zu acht: meine Eltern, Mina mit ihrem Mann und den beiden Babys, Salim und ich. Wir schliefen darin, kochten darin und stritten darin. Die Laune meiner Schwester war seit unserer Abreise nicht besser geworden. Nur alle drei Tage verschwand einer der Männer, um Lebensmittel zu kaufen.

Es roch immer nach Essen und Schweiß, und wenn ich keine Luft mehr bekam – manchmal hatte ich das Gefühl, die Luft wäre so dick wie Brei –, dann setzte ich mich ans Fenster. Es gab nur eins, es war klein und lag oberhalb des Stuhls. Ich lehnte mich hinaus, schnappte nach Luft und versuchte wenigstens etwas von dem Treiben in der Stadt mitzubekommen. Leider reichte der Winkel nur für eine Einfahrt, in der ein verrosteter Paykan stand, mit platten Reifen.

Ab und zu kamen zwei Afghanen, ebenfalls Flüchtlinge, zu Besuch. Sie schliefen in dem Zimmer gleich neben uns. Einer war Schneider, der andere ein Koch, er hatte in Kabul bei einem Diplomaten gekocht, wie er erzählte. Ich mochte es, wenn sie bei uns saßen, denn dann war die Atmosphäre entspannter. Sie erzählten Witze und mein Vater lachte manchmal sogar. Einmal zog Mina den Koch auf, wenn er bei einem Diplomaten gearbeitet hätte, müsse er doch wissen, wie man Pizza backe. Ohne einen Ofen, wie es sie in Europa gäbe, sei da nichts zu machen, erklärte der Koch. Wir wussten nicht, wie ein solcher Ofen aussieht, und er erklärte, es sei ein großer Behälter, in dem von oben und von unten eine Art Feuer käme. Meine Stiefmutter traute dem nicht, aber Mina ließ nicht locker. Die Männer zogen also los, um europäischen Käse zu kaufen, den man für eine Pizza unbedingt benötigte, wie der Koch sagte. Einen Käse, der Fäden wie Kaugummi ziehe, wenn er erhitzt werde. In einer Stadt wie Maschad, durch die so viele Touristen kämen, würde es solch einen Käse geben, da waren sich alle einig, bis auf meine Stiefmutter. Als ihn die Männer endlich gefunden hatten, knetete der Koch den Teig, klopfte ihn flach, wie meine Stiefmutter es immer mit dem Brot machte, bestrich ihn mit Tomatensauce, legte den Käse darauf und quetschte ihn schließlich zwischen zwei Aluminium-Platten, die er dann über den Gaskocher hielt, bis der Teig gebacken schien. Meine erste Pizza schmeckte fantastisch, obwohl sie im Nachhinein gesehen wirklich nichts mit einer Pizza gemein hatte, wie ich sie heute kenne.

An unserem letzten Tag in Maschad – wir wussten nicht, dass es der letzte sein sollte, denn wir rechneten ja jeden Tag damit, weiterzufahren, und wir waren bereits sechsundzwanzig Mal enttäuscht worden – machte mein Vater eine Ausnahme. Ich glaube wir taten ihm leid, er konnte wenigstens ab und an auf die Straße treten. Er sagte, wenn wir schon einmal hier seien, sollten wir auch den heiligen Schrein besuchen, wir seien schließlich Schiiten, und für Schiiten sei das Grab des achten Imam die heiligste Stätte, die man im Iran, ja beinahe in der ganzen islamischen Welt, besuchen könne.

Mina durfte nicht mit. Ihr Mann war strenger als Vater, er meinte, eine Frau habe außer Haus nichts verloren, schon gar nicht eine Mutter zweier Babys. Er selbst kam jedoch mit. Wir fuhren mit dem Taxi und hielten vor einem großen Platz. Noch nie hatte ich so viele Menschen an einem Ort gesehen. Die Frauen trugen schwarze Mäntel und Tschador, und manche unter ihnen zeigten sogar das Haar. Mein Vater hatte uns auch solche Mäntel besorgt.

Schon von Weitem sah man die Minarette und goldenen Kuppeln. »Dort ist es!«, sagte Vater. Seine Stimme gluckste vor Freude. »Mir nach!«, rief er und übernahm damit die Führung über den Platz, an dessen Ende sich ein gigantisches Gebäude erhob, umgeben von einer hohen Mauer mit Mosaiken. Wir schlängelten uns durch die Menschenmenge. Meine Stiefmutter hatte das Ende ihres Kopftuches an das von meinem geknotet, damit ich ganz nah bei ihr bliebe. »Hier entlang!«, rief Vater wieder. Es war ein langer Weg, bis wir endlich vor einem großen Eingangsportal standen.

Es führten zwei Wege ins Innere der Anlage; der eine war für Männer, der andere für Frauen. Ich war aufgeregt, meine Stiefmutter zischte: »Zud bia! Zud bia!«, voran, voran. Ich dachte nur, jetzt bloß nicht stolpern, sonst würden die Leute einfach über einen hinwegtrampeln, ganz ruhig bleiben, sich dem Menschenstrom hingeben. Er zog uns in ein Labyrinth von Hallen, Säulen und Höfen. So viel Pracht, die Wände und Böden aus Gold, Spiegel und Marmor, wunderschöne Brunnen! Und an jeder Ecke standen Mullahs, die uns mit Rosenwasser bespritzten, um den Schweiß zu übertünchen, der allen aus den Poren trat.

Als wir endlich vor dem Grab standen, in dem der tote Imam Reza lag, überkam mich ein Gefühl von Heiligkeit, eines wie es Kinder in Deutschland bekommen, wenn sie vor dem Weihnachtsbaum stehen, während brennende Honig-Kerzen ein warmes, heiliges Licht abgeben. Hier, in diesem Raum, war es mir so, als könnte alles gut werden, als könnten wir alles schaffen, sogar ein neues Leben in Deutschland. Als würde Allah es gut mit uns meinen. Hier wurden schließlich sogar Kranke geheilt, das hatte Vater mir erzählt. Blinde beispielsweise konnten, nachdem sie den Boden vor dem Schrein geküsst hatten, wieder sehen. Und noch etwas passierte hier, das hatte nicht Vater, sondern Mina mir am Abend zuvor verraten. Unverheiratete Mädchen wünschen sich hier einen Mann herbei, einen, der gut zu ihnen sein würde und der möglichst so aussah wie einer der Helden in den Bollywood-Filmen, die Ramin früher heimlich ins Haus gebracht hatte. Man musste nur ein kleines Schloss an den Gittern befestigen, die den Sarg des Imam von den Besuchern abschirmten, und einen Wunsch flüstern. Und wenn das Schloss dann irgendwann einmal zufällig aufgehen würde, sich von dem Gitter löste, konnte der Wunsch fortfliegen und in Erfüllung gehen. Praktischerweise wurden die Schlösser jeden Abend entfernt, und so mussten schließlich alle Wünsche automatisch in Erfüllung gehen. Ich hatte kein Schloss dabei, hoffte aber, es ginge vielleicht auch so, überlegte, wer ein guter Mann für mich sein könnte, und dachte an die Nachbarsjungen in Kabul.

Der ältere hatte die Haare immer hübsch frisiert, obwohl das mit den Regeln der Taliban, wie die Jungen ihr Haar tragen sollten, nämlich oben kurz und an den Seiten länger, nicht einfach zu vereinbaren war. Einmal, als ich in einem kleinen Fotogeschäft kurz vor unserer Reise die Passbilder für meinen Vater abholen sollte, kam er zufällig in den Laden. Und als wir dort standen und der Ladenbesitzer kurz hinter den Regalen verschwand, um die Fotos zu holen, legte der Junge seine Hand auf meine. Ich erschrak, das ziemte sich einfach nicht. Der Junge lachte nur, und mir stieg die Schamesröte ins Gesicht. Damals in Maschad dachte ich, es würde hoffentlich noch andere Männer geben, die einmal für mich in Frage kämen.

Mein wichtigster Wunsch, den ich an diesem Tag durch das Gitter hauchte, war der, dass wir heil nach Deutschland kämen und die Reise möglichst bald weitergehen würde. Dass sich mein Wunsch noch in dieser Nacht erfüllen sollte, damit hatte ich dennoch nicht gerechnet. Noch bevor die Sonne aufging, wurden wir abgeholt.

KAPITEL 4

Schlepper sind Menschen, die mit Menschen handeln, sie gegen Geld von Ort zu Ort schmuggeln: Menschenschmuggler. Wir Afghanen nennen sie und ihre Helfer »Quachaqbar«, Knochenträger, denn sie befördern unsere Knochen, unsere Körper, nicht aber unsere Seelen, dafür sind wir selbst zuständig. Schlepper sind geheimnisvoll; niemand weiß, wer sie wirklich sind, niemand kennt ihre wahren Namen. Und die Leute reden über sie mit Angst und Respekt, wie über die Bosse eines Mafia-Clans, die Helfer haben, sogar richtige Helfer-Abteilungen. Die eine verwaltet die Flüchtlinge, eine andere kümmert sich um Routen, Autos, Boote, eine dritte verwaltet die Finanzen, und jede Abteilung arbeitet im Verborgenen, um die Bosse mit ihren tausend Namen zu schützen.

Unseren ersten Schlepper habe ich vor der Grenze zu Kasachstan erlebt. Wir fuhren in einem Bus, eigentlich waren es sogar drei Busse, das habe ich aus den Gesprächen zwischen Vater und dem Koch herausgehört. Aber sie fuhren in größeren Abständen, sodass, wenn einer der Busse es nicht über die Grenze schaffte, der Fahrer die anderen warnen konnte. Einen ganzen Tag und eine Nacht verbrachten wir im Sitzen, ich neben Salim und der neben meiner Stiefmutter, hinter uns Vater und Minas Familie.

Die Stimmung war gereizt, der Jüngste von Mina, Ali, schrie, und meine Schwester Mina versuchte vergeblich, den Kleinen zu beruhigen, wiegte ihn, wisperte Beruhigendes, doch es nützte nichts, was die anderen Fahrgäste bald nervte. »Kriegst du dein Kind nicht in den Griff?! Inshallah!«, tönte es von hinten, oder: »Ruhe jetzt!«

Mina tat mir leid. Afghanen mögen Kinder, aber ein Bus voller Flüchtlinge war vielleicht nicht der passende Ort, um Geduld für sie aufzubringen. Wir versuchten zu schlafen, doch der Bus holperte über die großen Löcher im Asphalt wie ein buckelndes Pferd. Der Fahrer fuhr bei offenem Fenster, sodass sich orientalische Folklore, die ohne Unterbrechung aus den Lautsprechern dudelte, mit dröhnendem Motorengeräusch mischte. Er war ein kleiner, untersetzter Mann mit schwarzen, stechenden Augen. Einmal wagte ich mich zu ihm nach vorne, weil ich den Druck auf meiner Blase nicht mehr aushalten konnte. Doch der Fahrer befahl mich mit einer unwirschen Handbewegung wieder auf meinen Platz.

»Das hast du nun davon, dass du immer nach Wasser schreist«, schimpfte meine Stiefmutter, mehr aus Sorge als aus Ärger, wie ich heute weiß. Von da an bekam ich nichts mehr zu trinken. Und so saß ich Minute um Minute mit zusammengekniffenen Schenkeln da und strengte mich an, an etwas anderes zu denken, etwas Schönes, an Europa. Dort würde es überall Toiletten geben, aus Marmor und mit fließendem Wasser aus silbernen Hähnen.

Ob der Junge mit der Jeans auch nach Europa wollte? Ich konnte ihn von meinem Sitz aus beobachten, er saß vorne, direkt neben dem Fahrer, war vielleicht drei Jahre älter als ich und ganz allein. Als wir in den Bus eingestiegen waren, hatte er mich kurz angelächelt, was mich wieder einmal erröten ließ. Auch mit dreizehn wusste man in Kabul, was das bedeutete, wenn ein Junge ein Mädchen anlächelte. Denn in Kabul wurde man schnell erwachsen. Viele Mädchen waren mit dreizehn schon verheiratet. Ich hätte mich gerne mit ihm unterhalten, ihn alles gefragt: woher er käme, wo seine Familie sei. Doch ohne die Begleitung eines Bruders oder meines Vaters war das für ein afghanisches Mädchen unmöglich. Ich bedauerte, ihn noch nicht gekannt zu haben, als ich vor dem Schrein von Imam Reza stand. Vielleicht wäre er ja ein geeigneter Mann für mich.

Der Junge hatte ein schönes Gesicht, rund, mit einem schmal zulaufenden Kinn, olivfarbene Haut, ein Hazara, das stand fest. Hazara sind kleiner als wir Paschtunen, und ihre Augen sehen wie die der Asiaten aus, nur heller. »Schlitzaugen«, sagte man in Afghanistan, wenn man verächtlich über sie sprechen wollte, und das passierte oft. Ich fand immer, dass die Augen der Hazara aussahen wie Aprikosenkerne.

Es würden viele junge Hazara aus Afghanistan fortgehen, denn es würden schreckliche Dinge mit ihnen gemacht, sagte Vater. Erst später, in Deutschland, habe ich von den Ermordungen der Hazara durch die Taliban und von den Vergewaltigungen gehört.

Mein Vater hatte nichts gegen Hazara, auch wenn wir Paschtunen waren. »Ein Mensch ist dann gut, wenn er ein guter Muslim ist und sich ehrenhaft verhält«, sagte Vater immer. Und so gab er sogar meine beiden Schwestern, Nessrin und Mina, einem Hazara zur Frau. Es seien gute Muslime, feine Menschen, darauf komme es an.

Und dennoch, glaube ich, ist ihm die Entscheidung nicht leichtgefallen. Denn unter der Herrschaft der Taliban hatten die Hazara kein einfaches Leben. Sie sind nun mal keine Paschtunen, die Taliban aber sehr wohl. Und Hazara sind zudem Schiiten und Paschtunen Sunniten, so viel hatte ich verstanden. Für mich war das alles sehr verwirrend, denn wir sind Schiiten, obwohl wir Paschtunen sind. Mein Vater war zur Shia konvertiert, als er noch ein sehr junger Mann war, das erzählte er uns einmal, als wir in einer Winternacht alle um den Ofen saßen. Er hatte nachts im Schlaf ein Zeichen bekommen. Im Traum begegnete ihm ein Greis, der sagte, der Familie meines Vaters würde es schlimm ergehen, Hunger würde allen den Tod bringen. Doch er könne sie retten, wenn er zur Shia überträte.

Gleich am nächsten Morgen tat er es, so erzählte Vater es jedenfalls, obwohl es damals noch nicht lange her war, dass er als Sunnit nach Mekka gegangen war, um die Umra, die kleine Pilgerfahrt, zu vollziehen. Und so kam es, dass wir Kinder – obwohl wir Paschtunen sind – auch alle Schiiten sind.

Mir war es egal, was ich war, Sunnit oder Schiit, ich hielt mich an die Worte meines Vaters: Ein guter Mensch ist, wer ein guter Muslim ist und ehrenhaft handelt. Diese Erklärung reichte mir – vorerst. Und in Deutschland, wo wir von nun an leben wollten, würde man uns hoffentlich nie danach fragen.

Als ich endlich in leichten Schlaf gefallen war, der löchrige Asphalt war einer sandigen Piste gewichen, weckte mich Tumult, Gerangel vorne im Bus. Der Fahrer brüllte den Hazara-Jungen an, gestikulierte wild, ich glaube, er wollte ihn schlagen. Der Bus schleuderte und die Frauen schrien. Ich hielt mich an Salim fest, hatte Angst, der Bus könnte kippen. Später erfuhr ich, dass der Fahrer dem Jungen befohlen hatte, ihm Tee einzuschenken, sobald der Becher leer sei. Er sollte den Becher die ganze Zeit weiter für den Fahrer in der Hand halten. Der Junge habe irgendwann gesagt, er sei kein Diener, der Fahrer könne den Tee auf dem Boden abstellen. Ich weiß nicht, ob der Busfahrer deshalb gleich so explodierte, weil der Junge ein Hazara war, oder aber einfach, weil er ein Flüchtling war, was Vater annahm.

»Sie können mit uns machen, was sie wollen«, sagte Vater. Wer illegal sei, so erklärte er es uns, habe keine Rechte, denn er müsse für andere, zumindest jene, die keine Schlepper seien, unsichtbar bleiben. Und wer unsichtbar sei, der könne sich schließlich schwer bei irgendjemandem beschweren. Ich wusste damals nicht, dass dieser Zustand, das Unsichtbarsein, noch sehr, sehr lange andauern würde. Und dass dieses Unsichtbarsein auch bedeutete, dass unser Vater, der immer wusste, was in der Not zu tun war, nicht mehr entschied, was das Beste für uns war. Denn die Schlepper entschieden nun, was zu tun sei, wie unsere Reise verlaufen würde. Und Vater wurde einer von uns, ein Nicht-Entscheider.

Zum Glück gelang es einigen Männern, den Fahrer nach einer Weile zu beschwichtigen. Aber er hatte immer noch so viel Wut im Bauch, dass er weiter wie ein Verrückter fuhr. Eine Frau, die zwei Reihen vor uns saß, übergab sich auf ihren Tschador, und meine Mutter und Mina waren ab diesem Zeitpunkt damit beschäftigt, das Gewand der Frau mit dem Wasser zu reinigen, das eigentlich für mich zum Trinken vorgesehen war. Ich ärgerte mich darüber. Was wäre, wenn wir kein Wasser mehr bekämen und ich irgendwann vertrocknete? Dann dachte ich, würde es meiner Stiefmutter, Mina und den anderen noch sehr leidtun. Doch als ich zu dem Hazara-Jungen hinübersah, der steif, ohne ein weiteres Wort zu sagen, aus dem Fenster starrte, schwor ich, dass ich, wenn ich mich jemals wieder über meine Eltern, Mina oder Salim ärgern würde, an diesen Jungen denken wollte, der so allein war. Dann würde ich die Dinge anders sehen, dankbar sein, dass ich eine Familie hatte, die mich beschützte, zu der ich gehörte. Nie hätte ich mir damals vorstellen können, sie eines Tages aus freien Stücken zu verlassen.

Als wir uns der Grenze näherten, wurde es merkwürdig still im Bus. Vater und einige andere holten ihre Tesbih, die Gebetsketten, hervor, und ein sanftes Murmeln legte sich unter das Motorengeräusch.

Ich sah aus dem Fenster, von Weitem erblickte ich in der sandigen Ödnis zehn, zwölf Männer. Sie trugen Helme, schwere Stiefel und hatten Kalaschnikows umgehängt. Einer, ich glaube, er war ihr Anführer, hielt seinen Helm unter dem Arm geklemmt, sein Kopf war kahl, er rauchte. Missmutig sahen die Männer in unsere Richtung, verfolgten, wie wir heranrollten und schließlich, ein paar Meter vor ihnen, in einer Staubwolke zum Stehen kamen. Der Kahlköpfige schnippte seine Zigarette auf den Boden und ging in unsere Richtung.

Da erst entdeckte ich auch unseren Schlepper. Ich hatte ihn bis dahin nicht wahrgenommen, er saß gut zehn Reihen vor mir. Schleier oder Pakols, so heißen die afghanischen Gebetsmützen, hatten mir die Sicht auf ihn genommen. Er war schmalbrüstig, hatte keinen Bart, nur einen Schnäuzer. Der Schlepper stieg aus, begrüßte den Kahlköpfigen, sie schienen sich zu kennen, klopften einander auf den Rücken, standen vor dem Bus und lachten. Ihre Lache klang künstlich, dann verschwanden sie in einem Häuschen, das verlassen in der Einöde stand.

Lange Zeit passierte nichts. Vielleicht nur, damit wir noch mehr Angst bekämen. Inzwischen trieb es mir die Tränen in die Augen, ich musste immer noch dringend pinkeln, und als ich drohte, mich im Bus zu erleichtern, ging mein Vater nach vorne und sprach ein Machtwort. Mit lautem Zischen öffnete sich die Bustür, ich stolperte in den Staub, eilte in Richtung Verschlag, auf den der Fahrer deutete, gefolgt von meiner Stiefmutter.

Eine Toilette sagt viel über ein Haus und seinen Besitzer aus. Unsere Toilette in Kabul war ein einfaches Plumpsklo im Hof, aber es war sauber. Nie hatte ich mich darin geekelt, auch dann nicht, wenn kurz zuvor schon alle meine Brüder darauf gesessen hatten. Und in einem Land, das auf dem Weg in den Westen lag – für mich begann Russland direkt hinter dem Iran, und Russland war der Westen, so meinte ich – würde ich eine Toilette vorfinden, die besser sein müsste als unsere in Kabul. Aber die Russen waren keine guten Gastgeber, zumindest hielten sie nicht viel von sauberen Toiletten. Hinter verwitterten Latten, auf einer Fläche, vielleicht ein wenig größer als der Grund eines Regenfasses, musste ein Loch im Boden sein. Doch ich sah es nicht, da die Exkremente darin überquollen. Und da der Haufen schon so hoch war wie meine Waden, verteilte er sich bis in alle Ecken. Der Gestank ließ mich rückwärts taumeln. Aufgeschreckte Fliegen bildeten eine dichte, schwarze Wolke. Hektisch band meine Stiefmutter mir die Enden meines Kopftuchs um den Mund, damit ich keine Fliege einatmete, so viele waren es. »Anshala, anschala«, schnell, schnell. Ich klammerte mich mit einer Hand an meiner Stiefmutter fest, sie gab mir vor der Tür Sichtschutz, mit der anderen stützte ich mich an der gegenüberliegenden Wand ab. Dann ließ ich es laufen. Das war also Kasachstan, dachte ich, als wir wieder in den Bus stiegen. Im Iran waren die Toiletten sauberer gewesen.

Nach Stunden zischte die Bustür wieder und der Kahlköpfige stieg ein, gefolgt von dem Mann mit dem Schnäuzer. Der Kahlköpfige schritt langsam die Sitzreihen ab, Stille, nur das Quietschen seiner schweren Stiefel war zu hören. Jedem Einzelnen von uns blickte er in die Augen, seine waren kalt und wasserblau. So etwas hatte ich noch nicht gesehen. Bei manchen blieb er länger stehen, musterte sie, auch mich. Ich spürte, wie meine Nackenhaare sich aufstellten, von denen ich nicht wusste, dass ich sie hatte, wie bei Tieren, wenn ihnen Gefahr droht. Ich bewegte mich nicht, starrte nach unten auf meine Schuhe, an denen noch stinkende Andenken an die Toilette hafteten, hielt seine Blicke aus, eine Ewigkeit. Endlich drehte sich der Mann um, gab dem Schlepper ein Zeichen und verließ den Bus, während der Schlepper brüllte: »Dollar her!«

Druckknöpfe und Reisverschlüsse wurden geöffnet, Tüten raschelten. Mein Vater merkte vorsichtig an, schon sehr viel Geld gezahlt zu haben. Aber der Mann mit dem Schnäuzer knurrte, das sei für Extras. Er arbeitete sich kaugummikauend Reihe um Reihe in den hinteren Teil des Busses vor, sammelte die Scheine ein und fächerte sich mit dem Geldbündel betont gelassen Luft zu, wenn noch der eine oder andere hektisch in seinen Taschen nach Geld suchte. So nah vor mir kam er mir größer vor als vorhin aus der Ferne. Später erfuhr ich, dass es an den Grenzen bis Moskau üblich war, die Männer im Hintergrund, »die von der Mafia«, wie Vater sie nannte, mit Drogen zu bezahlen. So konnten die Schlepper, die leicht an diese Drogen kamen und sie deshalb sehr günstig kauften, das Geld für sich behalten, das wir ihnen gegeben hatten. Die Dollar, die wir jetzt noch aus der Tasche ziehen mussten, waren lediglich für die Grenzposten gedacht, damit auch sie ihren Mund hielten.

Wir kamen spät in der Nacht in einem Vorort einer Stadt irgendwo in Kasachstan an. Ein heruntergekommenes, blockartiges Gebäude, versteckt hinter mannshohen, wild wuchernden Büschen. Nur unsere Familie, der Koch und der Schneider durften aussteigen. Der Hazara-Junge und die anderen fuhren weiter. Ich sah ihn nie wieder.

Wir schliefen alle in einem Zimmer, diesmal ohne Betten oder Toshaks, nur mit ein paar Wolldecken auf dem Boden. Ich träumte wild, bis mein Vater mich am nächsten Morgen weckte. »Mach schnell, es geht weiter.«

KAPITEL 5

Ich hatte noch nie einen Zug gesehen. Nur einmal in einem der Videos, die Ramin manchmal mitgebracht hatte, mit Jackie Chan. In echt aber war es doch etwas ganz anderes, und in dem Gebäude, vor dem uns der Fahrer ablieferte, gab es nicht nur einen, sondern sogar viele Züge. Einer neben dem anderen wartete, bis Menschen mit Koffern und Taschen aus- und einstiegen, sich verabschiedeten oder begrüßten, sich küssten und umarmten. Ich staunte. Salim war genauso aufgeregt, ja richtig aufgekratzt. Wir alberten herum, kniffen uns in die Rippen, lachten, bis Vater uns ermahnte, endlich still zu halten.

Für die Fahrt besorgte Vater noch Obst, Nüsse und Wasser in der Eingangshalle. Dort herrschte hektisches Treiben, wie in einem Basar, nur dass es richtige Geschäfte gab. Die Schaufenster waren mit fremden Schriftzeichen beklebt. Wie modern ich das fand!

Man hatte mich seit der Busfahrt auf eine Wasser-Notration eingestellt, da wir auf der Flucht nie wussten, wann es wieder eine Möglichkeit geben würde, eine Toilette zu besuchen, und Frauen durften sich schließlich nicht einfach so im Freien hinhocken. Ich bettelte so lange, doch schon jetzt wenigstens einen kleinen Schluck Wasser nehmen zu dürfen, bis Vater ein Einsehen hatte und mir eine

Flasche aufmachte. Es zischte, und als ich sie gierig ansetzte, bekam ich einen Hustenanfall. Was war das? Das Wasser explodierte in meinem Mund, stieg in die Nase, es kratzte, kribbelte auf der Zunge und im Rachen, in einer Fontäne spuckte ich alles wieder aus. Mein Vater lachte, was ich sehr unpassend fand, denn ich hatte große Sorge, dieses Wasser würde ich nicht trinken können. Wenn es in Deutschland auch nur dieses Wasser gäbe, war ich sicher, müsste ich verdursten. Die Sorge war bald vorbei: In den drei Tagen Zugfahrt – so lange brauchten wir bis nach Moskau – hatte ich mich an das sprudelnde Wasser gewöhnt.

Unser Zug war türkisfarben mit einer zitronengelben Schrift darauf. Und die Kabine hatte rubinrote Polster und dazu passende Gardinen in einem rot-braunen Muster. Sechs Betten aus Eisen, je drei übereinander. Es gab richtige Decken und richtige Kissen, solche mit Bezug, sie lagen akkurat gefaltet auf einem der Betten. Ich konnte es kaum fassen. Hier würden wir die nächsten Nächte schlafen; so bequem hatte ich noch nicht einmal in unserm Haus in Kabul geschlafen. Auch wenn alle unsere Onkel, denen wir von unserer Flucht nach Deutschland erzählt hatten, behauptet hatten, eine Flucht nach Europa gleiche einem Besuch in der Hölle, war das hier, dieser Ort, dieses Abteil, der Gegenbeweis. Ich würde sie aufklären, sobald wir in Deutschland wären, das nahm ich mir vor, damit sie nachkämen, flüchteten so wie wir, ihre Angst verlören. Und damit wir dann alle, die ganze große Familie, wieder zusammenfänden, im schönen Europa.

Salim und ich hatten nichts Besseres zu tun, als sofort darum zu streiten, wer oben schlafen würde. Wir rechneten fest damit, dass mein Vater oder wenigstens meine

Stiefmutter eines der oberen Betten selbstverständlich für sich beanspruchen würden. Zu unserem großen Erstaunen blieben meine Eltern lieber unten, und Salim und ich kletterten links und rechts die Sprossen hinauf, legten uns auf die Matratzen, streckten die Beine aus, wälzten uns, um die Stabilität der Eisengestelle zu testen. Ich hoffte, es würde bald Nacht werden, damit ich die Kissen und Decken verteilen könnte und wir so gut schlafen würden wie seit Wochen nicht mehr. Einen Monat, das hatten die Schlepper meinem Vater versprochen, würde die Reise dauern. Jetzt waren wir schon 32 Tage unterwegs, es konnte also nicht mehr lange dauern, bis wir in Deutschland sein und meine älteren Brüder mich in die Arme schließen würden. Wie wenig ich damals wusste!

Stundenlang starrte ich an die Decke, dachte an Europa, wie es dort wohl wäre. Ich würde Freundinnen finden und zur Schule gehen, schreiben und lesen lernen. Mädchen war es in Kabul streng verboten, eine Schule zu besuchen, weil man der Ansicht war, das halte sie von ihren Aufgaben als Mutter und Ehefrau ab. Sehr, sehr lange hatte ich darum gebettelt, bis mein Vater mir endlich für ein paar Stunden in der Woche einen Hauslehrer besorgte. Ich war damit das einzige Mädchen in der Familie, das um eine Welt außerhalb Kabuls wusste, und verstand sogar ein paar Brocken Englisch.

Wenn ich nicht in meinem Bett lag oder saß – dort oben konnte man sehr gut aufrecht sitzen –, besuchte ich im Nachbarabteil Mina und ihre Familie oder trieb mich auf dem Gang herum, sah dort aus einem der großen Fenster die endlose Steppe an mir vorbeifliegen. Und Strommasten, spärliche krumme Holz-Gestelle, die sich, je näher wir Moskau kamen, in Giganten aus Metall verwandelten.

Ab und an rauschten Siedlungen, manchmal ganze Städte vorbei. Und Wälder mit ihren hundert Grüntönen. In Kabul gab es solch ein sattes, saftiges Grün nicht, nirgendwo so viele Bäume an einem Ort.

Immer wenn der Zug in einen Bahnhof einfuhr, studierte ich die Gesichter. So schöne Menschen, ihre Augen waren denen der Hazara ähnlich. Die Frauen trugen wild gemusterte Röcke, ihre Beine steckten in dicken Stiefeln, und die bunten Kopftücher bändigten das Haar nur mäßig und verdeckten es nicht, wie ein Tschador.

Geschäftig wurden Kisten, Säcke und Taschen gehievt, Händler mit getrockneten Fischen, Obst und Pinienkernen versuchten ihre Ware loszuwerden. Doch Vater wollte nichts kaufen, was ich bedauerte, denn unser Proviant hing mir allmählich zum Hals heraus. Wir aßen immer nur Obst, Nüsse, trockenes Brot, Trockenkuchen und Eier, die meine Stiefmutter noch in dem Zimmer in Maschad hartgekocht hatte.

In dem Abteil neben dem von Mina schliefen drei Russen und eine ältere Dame, die ganz alleine unterwegs zu sein schien. Ich war beeindruckt: eine alte Frau ohne Begleitung in einem Abteil mit drei Fremden! Immer wenn ich daran vorbeilief und neugierig durch die kleine Glasscheibe in der Kabinentür lugte, lächelte sie mir aufmunternd zu, winkte mich hinein, bis ich mir schließlich ein Herz fasste und in das Abteil trat. Ob mir nicht langweilig sei, fragte die Frau in gebrochenem Englisch. Ich verstand sie und schüttelte den Kopf. »Dawai, dawai!«, los, los, sagte sie und hielt mir ein Hühnerbein unter die Nase. Ich genierte mich ein wenig, nahm das Hühnerbein aber dankbar an und nagte den Knochen genussvoll ab. Die alte Dame erzählte, sie sei auf dem Weg zu ihrer Tochter, die mit ihrem Mann und zwei Kindern in Moskau lebte. Ob wir aus Afghanistan kämen, fragte sie. Ich fühlte mich ertappt, aber sie schien sich auszukennen. Sie sagte: »Es sind schwere Zeiten.«

Später, als ich wieder einmal auf dem Gang herumlief – der Gang war das Aufregendste an der Fahrt, denn dort traf man Leute aus den anderen Abteilen, auch Vater und meine Stiefmutter vertraten sich gerade dort die Beine –, gesellte sich die russische Frau zu uns und stellte sich meinen Eltern vor. Masha heiße sie und komme aus dem Süden Russlands. Die Stadt habe ich vergessen.

Meine Eltern verstanden sie nicht, aber ich versuchte, ihr Englisch zu übersetzen, und das klappte ganz gut. Sie kenne Afghanistan nicht, sagte Masha, habe aber viel über das Land gelesen. Und auch viel gehört. Ihr Sohn sei dort stationiert gewesen, als die Russen einmarschiert waren. Ihr Sohn sei nicht mehr zurückgekehrt. Sie habe nie herausgefunden, wo er gestorben sei, und auch nicht wie.

Eigentlich, überlegte ich, hätte sie uns hassen müssen. Denn wir waren ja Afghanen. Unseretwegen, also wegen unseres Volkes, war ihr Sohn ums Leben gekommen. Aber sie hasste uns nicht. Kriege seien immer grausam und brächten keine Lösungen, sagte sie und auch: »Es gibt keine gerechten Kriege.«

Mein Vater und Masha begannen dann mit Hilfe meiner Übersetzungsversuche eine richtige Unterhaltung, über den Krieg, von dem ich nicht viel mitbekommen hatte, aber von dem ich aus vielen Erzählungen wusste, dass er schlimm gewesen war. Sie redeten auch über Kabul, das vor dem Krieg so anders gewesen sei, so schön und modern. Sogar meine Stiefmutter beteiligte sich ab und zu an dem Gespräch. Auf beiden Seiten habe es Opfer gegeben, waren sich alle einig. Und die Frau sagte, wie schön es sei, dass wir nun alle gemeinsam im Zug säßen und uns unterhielten. In der Nacht, der letzten in dem Zug, habe ich noch lange über diesen Krieg nachgedacht, der Afghanistan zu dem gemacht hat, was es heute ist. Und später in Deutschland, als ich die Schule besuchte, habe ich so viel darüber nachgelesen, wie ich finden konnte.

Am nächsten Morgen, es war der letzte unserer Zugfahrt, hörte ich meinen Vater auf dem Gang mit jemandem sprechen. Vaters Stimme klang aufgeregt. Es hatte geschneit und die Landschaft war wie mit einer Schicht aus weißem Puder überzogen.

Ich sprang aus dem Bett, um zu sehen, was los war. Vater stand mit einem jungen Mann am Fenster, redete auf ihn ein, tätschelte ihm die Wangen. Wer war das, mit dem Vater so vertraut umging? Er war groß, größer als Afghanen normalerweise waren, aber das kannte ich, ich war auch viel zu groß geraten für eine Afghanin. Er hatte dichtes schwarzes Haar, seine geschwungene Nase gab ihm etwas Edles. Ich schob die Abteiltür auf, für einen Augenblick verstummte das Gespräch und Vater sah irgendwie betreten aus. »Zohre«, – sagte er fast ein bisschen verlegen, »darf ich dir Mohammed vorstellen, er ist dein Onkel und auch auf der Flucht.«

Ich verstand erst einmal gar nichts. Wir Afghanen haben viele Onkel, und dennoch würde ich behaupten, jeden meiner Onkel gut zu kennen. Mohammed reichte mir die Hand. »Hallo«, sagte er. »Ich bin der Bruder von Saleha, deiner Mutter.«

Als wäre ich mit voller Wucht gegen einen Pfahl gelaufen, so war mir, als ich den Namen meiner Mutter hörte. Wie lange hatte ihn niemand mehr in den Mund genommen? Mir wurde für einen kurzen Moment schwindelig. Bei uns zu Hause wurde sie totgeschwiegen, ihr Name einfach nicht genannt, in all den Geschichten, den vielen Anekdoten von früher, einfach weggelassen, vergessen. Warum auch nicht, sie war ja tot, von einem Auto überfahren. Ich war noch sehr klein.

In einem schlimmen Streit hatte meine Stiefmutter einmal gesagt, ich sei schuld an ihrem Tod. Meine Mutter war mit mir aus dem Hamam gekommen, ich konnte gerade erst laufen, da riss ich mich von ihrer Hand los und lief auf die Straße. Mir passierte nichts. Ich meine mich noch an die Menschentraube erinnern zu können, die um meine Mutter herumstand, während mich jemand festhielt, damit ich nicht zu ihr liefe.

Sie war eine wunderschöne Frau gewesen, ich habe mir oft ihre Fotos angesehen: Sie trug einen Pagenkopf und Hosen – als Frau. Sehr modern. Mein Vater verliebte sich in der Minute in sie, als er sie das erste Mal im Hof seines Bruders sitzen sah. Es hieß, dass meine Mutter verheiratet werden sollte, genau weiß ich es nicht, aber der Mann, so hieß es, habe sie geschlagen, und als meine Mutter daraufhin weggelaufen sei, habe mein Onkel sie für eine Weile aufgenommen und meine Tante gebeten, sich vorübergehend um sie zu kümmern.

Mein Vater habe um sie geworben wie ein Verrückter. Mir wurde erzählt, dass er sich sogar anders kleidete, einen Schnäuzer und Schlaghosen getragen habe, oben eng und unten an den Beinen weiter, so wie man sie früher im Westen trug. Als ich das hörte, musste ich laut lachen. Ich wusste, dass auch Afghanistan einmal modern gewesen war. Aber Vater und Schlaghosen, das passte wirklich nicht zusammen.

Mein Vater war schon einige Jahre mit meiner Stiefmutter verheiratet, als Mutter ins Haus kam, moderner, jünger, vor allem anders. Meine Stiefmutter ist das, was man von einer afghanischen Frau erwartet: eine gute Hausfrau, anpassungsfähig, pragmatisch. Meine Mutter war nicht perfekt, sie war unangepasst, trotziger, aber auch lebendiger. Vielleicht hatte ich das ja von ihr, diesen Trotz, diese Neugierde, die meine Stiefmutter und auch Vater in den Wahnsinn treiben konnten. Wenn sie mit mir schimpften, vermisste ich meine Mutter.

Vater schien beide Seiten zu brauchen, die angepasste und die lebendige, und in Afghanistan war es normal, mehrere Frauen zu haben. Die Frauen werden nicht gefragt. Und nachdem Mutter unter der Erde war, musste meine Stiefmutter nicht mehr nur für vier eigene, sondern auch noch für zwei weitere Kinder sorgen. Kinder der Rivalin, die ihr den Mann, zumindest einen Teil von ihm, genommen hatte. Heute weiß ich, dass es nicht leicht für sie gewesen sein kann.

Mein Onkel Mohammed war auf dem Weg nach Dänemark. Nach dem Tod meiner Mutter war der Kontakt zwischen den Familien eingeschlafen. Und nun war es reiner Zufall, dass wir ihn im Zug nach Europa trafen. Ich blieb im Gespräch zurückhaltend, zu sehr hatte mich das plötzliche Auftauchen dieses Onkels durcheinandergebracht, schockiert, gelähmt. Wie konnten sie mir verheimlichen, dass ich noch einen Onkel hatte? Dazu einen, der meine Mutter kannte, mir von ihr erzählen konnte, der vielleicht so war wie sie, wie ich. Heimlich hoffte ich, Mohammed an diesem Tag noch einmal im Gang zu begegnen, doch ich sah ihn vorerst nicht mehr.

Masha, die nette Russin, schenkte mir zum Abschied

noch ein nagelneues Paar Handschuhe, schneeweiß und aus Angorawolle. Sie hatte die Handschuhe eigentlich für ihre Tochter zu Weihnachten gestrickt. Masha sagte, ich würde die Handschuhe noch brauchen. Ich sah aus dem Fenster, der Zug wurde langsamer: Moskau, wir fuhren ein.

KAPITEL 6

Der Bahnsteig war voller Menschen, Hunderte schienen von hier in andere Städte, ferne Länder zu reisen. Eine riesige Halle mit Geschäften, Menschen über Menschen, und alle waren in Eile. Die Männer trugen Pelzmützen und die Frauen kurze Röcke, sodass man ihre Knie sah – mitten im Winter. Ein kalter Wind blies durch die Halle. In Kabul konnte es im Winter bitterkalt werden, aber diese Kälte war eine andere: eisiger, von größerer Gewalt. Wir müssten hinübergehen auf die andere Seite der Halle, dort würden wir abgeholt, sagte mein Vater. »Zohre, nicht träumen!«, mahnte er, schien nervös, beinahe panisch. »Zusammenbleiben, alle hintereinander gehen!« Jeder sollte sich seinen Vorder- und Hintermann merken und sofort Alarm schlagen, falls einer verloren ginge. Sobald eine größere Lücke entstand, wurde Vater sehr wütend und schrie: »Wie oft habe ich es schon gesagt? Zusammenbleiben!«

Wir wurden von zwei Autos abgeholt, fuhren etwa eine halbe Stunde durch die Stadt, vorbei an einem Fluss, viel größer als der in Kabul. Der Fahrer schien kein geduldiger Mensch zu sein, er hupte unentwegt. Dabei gab es so viel mehr zu entdecken, wenn wir langsamer fuhren. Die Häuser mit Tausenden von Fenstern reichten bis zum Himmel, einige, etwas kleinere, hatten Schnörkel, und ihre Dächer waren von Schnee bedeckt. Es sah so schön aus. Ich war im Land der Riesen. Die Straßen waren so unfassbar breit, dass fünf Autos nebeneinander Platz hatten, die Geschäfte hatten hohe Fenster und darüber goldene Buchstaben. Was für eine Pracht!

Wir hielten vor fünf blockartigen Gebäuden, die in einem engen Bogen um ein karges Stück schneebedeckte Brache standen. »Die Moschee ist dort drüben«, sagte der Fahrer. Er sagte es durch die Zähne und nickte mit dem Kopf in Richtung eines der Häuser. Eine Moschee? In Kabul sahen Moscheen eindeutig anders aus. Dies war ein Hochhaus mit vielen Etagen. Wir schleppten unsere Taschen eine Treppe hinauf, durch die Eingangstür, wieder eine Treppe höher und standen plötzlich vor einer ganz unscheinbaren Tür. Sie stand offen und führte in einen dunklen Raum, bis zu dessen Ende ich nicht sehen konnte, da der Widerschein der Flurlampe nur für die ersten Meter reichte.

Eine Ecke des Raumes, die Fläche etwa so groß wie ein schmales Doppelbett, war frei. Ich wollte neben Vater sitzen. Eigentlich machte mir Dunkelheit schon lange nichts mehr aus, aber das hier war etwas anderes. Die Luft war stickig, es roch nach Urin.

Langsam gewöhnten sich meine Augen an die Finsternis. Etwa neun, zehn Familien waren hier untergebracht, so um die sechzig Menschen. Undenkbar, dass wir heute Nacht hier schlafen sollten. Dort wo wir saßen, stieß man an etwas aus Plastik. Erst als ich lange ins Dunkel sah, erkannte ich übereinander gestapelte Boxen, die Wand entlang gelagert. In ihnen lagen Decken, Kopftücher, alte Mäntel und Burkas, mit denen wir uns zudecken konnten.

Meine Stiefmutter klagte, ihre Worte waren unverständlich, aber ihr Ton verriet, dass sie es hier genauso schrecklich fand wie ich. Vater flüsterte, alles würde gut, wir würden nicht lange hier bleiben müssen, morgen, schon ganz in der Früh, würden wir abgeholt. Aber schon bei dem Gedanken, ein paar Stunden in diesem Raum gezwängt zu sein, wurde mir übel.

Mina saß mit ihrem Mann und den beiden Kindern ein wenig entfernt. Ihr Jüngster, der kleine Ali, hatte schon im Bus auf dem Weg nach Kasachstan Durchfall bekommen. Sein Po war ganz wund, und seine Windeln hatte Mina das letzte Mal in dem Zimmer in Kasachstan waschen können. Hier im Dunkeln würde es definitiv keine Möglichkeit geben, sie wieder zu waschen, und in dieser Enge gab es sowieso keine Gelegenheit, die Windel zu wechseln. Er schrie die ganze Zeit. »Armer kleiner Ali«, dachte ich.

Mein Vater hatte sich geirrt. Wir wurden am nächsten Morgen nicht abgeholt. Und auch am übernächsten und den Morgen darauf nicht. Dieses entsetzliche Warten, Vor-sich-hin-Dösen war nur schwer zu ertragen. Wenn meine Beine eingeschlafen waren, ich konnte sie wegen Platzmangel nicht strecken, vertrat ich mir die Beine im Stehen, an Ort und Stelle, und bemühte mich, sie anschließend irgendwie anders, sanfter, schonender zu verknoten.

Zu Essen gab es nur unregelmäßig. In der Etage eine Treppe höher war im Flur ein provisorischer Brotstand aufgebaut, an dem man Fladen kaufen konnte. Ab und zu kamen afghanische Frauen vorbei, wahrscheinlich von einem Hilfswerk, mit großen Töpfen, in denen Suppen oder auch schon mal Hühnchenfleisch mit Reis war. Bei der Verteilung gab es zwischen den Familienvätern jedes Mal Gerangel und Gebrüll.

Afghanen sind höflich, sogar übertrieben höflich, wie ich finde. Und kein Afghane gibt sich so schnell die Blöße, als raffgierig oder egoistisch zu gelten. Aber wenn es ums Überleben geht – und die Moschee war so eine Situation –, sind alle Menschen gleich, ob Afghanen oder nicht. Das glaube ich jedenfalls.

Als mein Vater am vierten Tag vom Brotkaufen zurückkam, lief zu unserer großen Überraschung Mohammed lachend neben ihm. Vater hatte ihn in der Schlange vor dem Brotstand getroffen. Auch Mohammed war in der Moschee untergekommen, wir hatten ihn nur nicht gesehen, da er auf der anderen Seite des Raumes einen Platz gefunden hatte. Wir sprachen mit den anderen Familien, bald wurde laut diskutiert. Doch dann stimmten alle zu, je einen Platz zur Seite zu rücken, damit Mohammed bei uns sitzen konnte. Neugierig hörte ich zu, wie Vater und er sich unterhielten, weshalb Mohammed geflüchtet war, welchen Schleppern er sich anvertraut hatte. Und wer ihm den Tipp gegeben hatte. Seine Reise war so ähnlich verlaufen wie unsere, nur dass er in Maschad in einem muffigen Keller ausharren musste und nicht wie wir in einem Mostafer Khane, einem Gästehaus.

Man werde doch verrückt an diesem Ort, sagte Mohammed nach einer Pause. Ein paar Mal schon habe er die Moschee verlassen, es sei ungefährlich, die Umgebung voller Afghanen, ein richtiges Afghanenviertel, größter Umschlagplatz für Flüchtlinge in ganz Russland. Und die meisten Flüchtlinge waren nun einmal Afghanen. Nicht jeder hat das Geld, einen Schlepper zu bezahlen, sagte Mohammed. Viele müssten von Ort zu Ort ziehen, illegal bleiben, erst einmal Geld zusammenbekommen für die nächste Etappe. Manche von ihnen blieben ein Leben lang auf dem Weg.

Ob ihn nicht jemand nach draußen begleiten wolle, fragte er. »Auf keinen Fall!«, fiel ihm Vater scharf ins Wort. Für mich war schon der Gedanke, für eine kurze Weile den stinkenden Raum verlassen zu können, wie eine Erlösung. Den ganzen Tag lang bettelte und flehte ich meinen Vater an, doch für eine Viertelstunde mit meinem Onkel gehen zu dürfen. Irgendwann, Stunden später, nickte Vater ermattet. Mein Onkel musste hoch und heilig versprechen, mich in einer halben Stunde wieder zurückzubringen. Und so trat ich nach mehreren Tagen in der Dunkelheit das erste Mal wieder ins Licht.

Es blendete mich, meine Schläfen pochten. Aber die frische Luft, das wusste ich, würde mir guttun. Wir gingen den Weg um das kleine Schneefeld herum, um das sich mehrere Hochhäuser formierten, und steuerten den nächstliegenden Eingang an. »Jetzt wirst du staunen«, sagte Mohammed, sah mich an und grinste. Er schien sicher zu sein, dass ich mich über die Überraschung freuen würde.

Als wir in den langen Flur traten, von dem die Wohnungen abzugehen schienen, staunte ich tatsächlich. Nicht nur der Flur, Wohnung für Wohnung, Raum für Raum, waren vollgestopft mit den schönsten Sachen. Es duftete nach saftigem Kebab, aus einem Radio klang Afghan-Musik und in einer anderen Ecke dampfte ein Suppentopf. »Ein Basar«, sagte Mohammed, offensichtlich erfreut über meine Sprachlosigkeit. Das hier seien alles Afghanen, Flüchtlinge wie wir, erklärte er.

Er hatte recht, ich fühlte mich wie in Kabul, nur dass der Basar viel größer war als jeder, den ich zuvor gesehen hatte. Über sieben Etagen erstreckte sich das Labyrinth aus Fluren, Zimmern und offenen Küchen. In einem Raum verkaufte ein alter Mann Schrottteile und Kupferdrähte, eine Frau mit schwarzem Tschador daneben Kekse, im nächsten Zimmer flocht ein Mann Körbe – sogar Spielzeug wurde verkauft. Ich entdeckte sofort eine Puppe mit blondem Haar und einem rosafarbenen Kleid, mit feiner Spitze am Kragen. Sie trug Ohrringe. Der Anblick gab mir einen kleinen Stich. So eine schöne Puppe gab es nirgendwo in Kabul, allein schon wegen der blonden Haare. Wie gerne hätte ich sie für mich gehabt. Aber vor meinem Onkel wollte ich mir jetzt keine Blöße geben und zugeben, dass ich noch mit Puppen spielte. Mohammed war nur wenige Jahre älter als ich, ein Nachzügler, viel jünger, als Mutter gewesen war. Er sollte mich nicht für ein kleines Kind halten.

Weiter oben, in der dritten Etage, bot ein junger Afghane Musikkassetten, Videos und CDs an. Die Wohnungstür war aus den Angeln gehoben und diente als Unterlage für ein großes Poster, das der Junge – gut sichtbar – im Flur aufgehängt hatte.

Der Mensch auf dem Poster faszinierte mich. »Mann oder Frau?«, fragte ich mich und studierte sein Gesicht: Die Haut wie Porzellan, die langen Locken fielen ins Gesicht – und dennoch meinte ich einen Bart-Ansatz unter dem weißlich-milchigen Make-Up zu erkennen. Ich fand, er sah ein wenig aus, wie ich mir die Jungen der Taliban vorgestellt hatte. Ich hatte gehört, dass sie sich zur Freude der Taliban schminkten, von ihnen gehalten wurden wie süße Haustiere, und dass dann etwas Abscheuliches mit ihnen passierte. Etwas, das ganz und gar nicht den Regeln der Scharia entsprach.

»Michael Jackson«, sagte mein Onkel und lachte. Ob

ich ihn denn nicht kenne, er sei der berühmteste Sänger der Welt. Beschämt musste ich zugeben, dass ich noch nie von ihm gehört hatte. Mohammed versprach, dass sich das ändern würde, sobald ich in Deutschland sei.

Aufgeregt erzählte ich nach unserer Rückkehr meinem Vater, was ich erlebt hatte, bemühte mich um jedes Detail, und Vater hörte geduldig zu. Nur das mit der Puppe schien Vater höflich zu übergehen, was ich schade fand. Heimlich hatte ich gehofft, er würde vielleicht mit mir noch einmal in das andere Haus gehen und mir die Puppe kaufen.

Doch wir gingen nirgendwo mehr hin. Nach diesem Ausflug nahm der Alltag in der Moschee wieder seinen Lauf. Schlafen, warten, essen, warten, Tag ein, Tag aus. Unsere Toilette war auf dem Gang, ein winzig kleiner Raum, kein Loch im Boden, sondern eine Schüssel, verstopft, die Brille mit Kot verschmiert, niemals würde ich mich darauf setzen. Eine Frau, so hatte uns jemand erzählt, hatte sich vor einer Woche den Fuß gebrochen, weil sie sich auf die Schüssel gestellt hatte und heruntergefallen war. Es stank so erbärmlich, dass ich schwor, hier nie wieder auf die Toilette gehen zu müssen. Und tatsächlich litt ich danach monatelang an Verstopfung.

Es geschah nachts, wir dösten vor uns hin. Plötzlich hörten wir unten am Eingang Lärm, Getrampel von einem Dutzend Stiefelpaaren. Männer in Uniform kamen die Treppe heraufgerannt und brüllten irgendetwas auf Russisch. Ich verstand nichts. Die Lichtkegel ihrer Taschenlampen blendeten. Die Männer rissen meinen Vater am Arm und auch Mohammed und den Mann von Mina. Alle Männer mussten mit ihnen gehen, und die Frauen schrien fürchterlich. Ich hatte große Angst. Was würde mit Vater geschehen? Würden die Männer ihn wegschaffen, ihn womöglich umbringen?

Endlich, nach einer Ewigkeit, kamen alle wieder. Langsam, schleichend. Vater flüsterte meiner Stiefmutter etwas ins Ohr, aber ich verstand alles. Er habe sich nackt im Schnee ausziehen müssen, die Russen hätten großen Spaß gehabt und gelacht. Und wieder gebrüllt und dann wieder gelacht. Vater und die anderen sollten dann nackt in ihren Sachen, die die Russen zuvor im Schnee verstreut hatten, nach Geld suchen, nach Dollarscheinen. Die sollten sie bei den Russen abgeben. Danach durften sich alle wieder anziehen, und die Russen verschwanden in ihren Geländewagen. Mein Vater ist ein Mann der Würde, doch in diesen Tagen war es schwer für ihn, sie zu bewahren.

Am nächsten Morgen hielt er es nicht mehr aus. Er wehrte sich dagegen, diese Schmach weiter über uns ergehen zu lassen. Es war der sechzehnte Tag, den wir in der Moschee verbrachten. »Schluss jetzt!«, schrie er. »Genug!« Er ging hinaus, redete mit dem Aufseher, kam zurück. »Packt eure Sachen«, sagte er. »Hier bleiben wir nicht mehr.«

KAPITEL 7

Der Koch und der Schneider gingen mit uns, worüber ich froh war, denn ich hatte das Gefühl, Vater war entspannter, sobald die beiden mit uns zusammen waren. Ich glaube, weil sie jung waren, unbeschwert, selbst in der stinkenden, dunklen Moschee. Wenn wir sie dort am Brotstand trafen, erzählten sie Witze über die Taliban. Talibanwitze waren meistens ziemlich dreckig, handelten eigentlich immer von einem Talib, der zu einem anderen Talib etwas sagte, und am Ende kam heraus, dass der erste es mit Männern trieb. Doch wie es die beiden erzählten, das war so lustig, dass selbst meine Stiefmutter – wenn auch leise – darüber lachen musste. Ich fragte mich, ob die beiden Männer ihre Frauen nicht vermissten, die in Afghanistan geblieben waren. Viele Afghanen flüchteten allein, um ihre Frauen und Kinder später nachzuholen, oder sie schickten Geld in die Heimat, um irgendwann einmal selbst dorthin zurückzukehren. Ich habe leider nie danach gefragt, was die beiden vorhatten.

Mohammed, mein neu entdeckter Onkel, blieb in der Moschee zurück. Auch für ihn würde es bald weitergehen, das hatten seine Schlepper ihm versichert. Ich war traurig, aber er hatte versprochen, dass wir uns nicht mehr aus den Augen verlieren würden. Zwei Jahre später meldete er sich wieder bei meinem Vater. Mohammed hatte es tatsächlich bis nach Dänemark geschafft.

Der Wind blies härter als noch vor zwei Wochen. Wir liefen an den Hochhäusern vorbei und bogen in eine stark befahrene Straße ein, von der aus eine Einfahrt abging, die in einen Innenhof führte. Dort wartete ein kleiner Junge, vielleicht neun Jahre alt. »Bist du Jawad?«, fragte mein Vater und der Junge antwortet nur: »Ja!« Ich war überrascht, dass ein so kleiner Junge uns führen sollte. Aber in Afghanistan bekamen Jungen oft Aufgaben wie Erwachsene. Und Jawad war Afghane, auch wenn wir in Russland waren. Wir folgten ihm durch einen unscheinbaren Eingang in ein Hochhaus, dann weiter durch einen schmalen, nicht enden wollenden Gang, der durch das gesamte Haus zu führen schien, bis wir auf eine schwere Metalltür stießen, Sie war verschlossen. Jawad hatte keinen Schlüssel.

»Wartet hier«, flüsterte der Junge und verschwand. Die Tür hinter uns fiel ins Schloss. Ich fragte mich, was wir tun sollten, wenn er nicht wiederkäme. Wir warteten, und meine Furcht, hier eingesperrt zu bleiben, wuchs. Dieser Jawad war doch nur ein kleiner Junge, so wie mein Bruder. Da öffnete sich die Tür. Erleichtert sah ich Jawads runden Kopf durch den Spalt lugen. Mit einer einladenden Handbewegung deutete er uns an, mit ihm zu kommen. Die Tür führte geradewegs in einen Hof, den hohe Mauern umgaben. Er hatte ein rostiges Lamellentor.

Vom Hof führte wieder eine Tür in einen anderen Teil des Hauses. Jawad drückte meinem Vater mehrere Schlüssel in die Hand und sagte, wir müssten allein weiter, durch die Tür, links die Treppe hinauf, in den siebten Stock. Nicht geradeaus, warnte er, dort sei die Eingangshalle des

Hotels, man würde Bescheid wissen, aber es sei besser, unerkannt zu bleiben.

Ein Hotel! Ich war verblüfft – Jawad hatte uns geradewegs in ein Hotel geführt. Etage um Etage schleppten wir unsere Reisetaschen die sieben Stockwerke hinauf. Meine Stiefmutter ächzte, und Mina versuchte Ali still zu halten, der auf dem Arm von ihrem Mann wieder einmal schrie.

Salim und ich liefen schneller als die anderen. Wir waren so froh, endlich aus dieser stinkenden Moschee heraus zu sein! Oben angekommen, lehnten wir uns über das Treppengeländer und spuckten hinunter. Salim ließ seine Spucke an einem langen Speichelfaden langsam nach unten schweben. Das konnte er besonders gut. Irgendwann löste sich die Spucke, und der schaumige Tropfen fiel hinunter. Wir waren so hoch oben, dass wir nicht mehr hörten, wie die Spucke auf den Fliesenboden klatschte. Vater ermahnte uns von irgendwo unterhalb, diesen Unsinn zu lassen. Doch wir konnten nicht anders, so aufgedreht wie wir waren, bis einmal die Spucke direkt vor den Füßen meiner Stiefmutter landete, Etagen tiefer, was uns dann doch ein wenig beschämte.

Der Koch und der Schneider bezogen eines der Hotelzimmer, Mina und ihre Familie ein anderes und wir, Vater, meine Stiefmutter, Salim und ich, ein drittes.

Weiß! So viel Weiß! Die Wände, die Türen ganz weiß, der ganze Boden ein heller, beigefarbener Teppich. Salim und ich stürmten in das Zimmer, sprangen auf das Doppelbett, an dessen Kopfende ein großer Spiegel hing, in dem wir uns sehen konnten, während wir auf der Matratze herumhüpften wie auf einem Trampolin. Wir waren richtig wild, wie aufgekratzt, rannten um das Bett herum, inspizierten das Innere des Wandschranks und die Schubladen der Nachttische. Sie waren leer. Sogar einen Fernseher entdeckte ich neben dem Fenster, auf einer Konsole, die an der Wand befestigt war. Das ganze Zimmer roch nach frisch gewaschener Wäsche. »Magbul, besiar magbul«, wie schön, wie wunderschön, schrie ich.

Das Schönste aber war das Badezimmer. In Kabul gab es keine Badezimmer, zumindest hatte ich nie eines gesehen. Und da war er, der Wasserhahn, von dem meine Tante erzählt hatte. Silbern, so wie ich ihn mir vorgestellt hatte. Aus ihm würde klares Wasser fließen.

Ich durfte an diesem Abend als Erste in die Wanne. Das hatte ich mir von meinem Vater erbettelt. Das Wasser dampfte, so heiß war es. Ich tauchte unter, schluckte das Wasser, prustete es wieder aus. Das war der Westen. Dieses Hotelzimmer, irgendwo in Moskau. Bald würde ich in Deutschland sein, dachte ich noch. Dort würde auch ich so frisch riechen. So wie meine Tante, deren Kleider so anders rochen, so nach Europa. All den Dreck, den Staub, den Gestank der Moschee von Schweiß und Urin, wusch ich von mir ab. Ließ die Reise von Kabul bis hierher einfach hinter mir. Als ich aus der Wanne stieg, war das Wasser schwarz wie Kohle.

Wir schliefen alle zusammen in dem Doppelbett, zehn Stunden lang. Als wir am nächsten Morgen aufwachten, war es hell. Ich sah aus dem Fenster. Ganz Moskau ruhte unter einer dicken Schneedecke. Alles schien über Nacht leiser geworden zu sein, selbst die Autos schienen geräuschlos zu gleiten, und nur wenige Menschen stapften durch den hohen Schnee.

Vater machte sich auf, um noch ein paar Dinge zu besorgen, wie er sagte. Zurück kam er mit Winterstiefeln für Salim und mich. Sie waren aus dickem Leder und innen mit richtigem Fell gefüttert. Ich weigerte mich, die roten Schuhe, die ich von meiner Tante geschenkt bekommen hatte, die mit dem grünen Streifen in der Mitte, für die Stiefel zurückzulassen. Doch in der Moschee war Vater gewarnt worden, mit unserer kargen Ausrüstung kämen wir nicht weit. Ich zeterte und bettelte, doch Vater war gnadenlos, und ich sollte noch sehr dankbar dafür sein. Ich stellte die roten Schuhe sorgsam in den Wandschrank und hoffte, die Putzfrau, die an diesem Morgen schon einmal aus Versehen in unser Zimmer gekommen und bei unserem Anblick sehr erschrocken war, würde sich vielleicht darüber freuen.

Drei Autos warteten in dem Hinterhof, durch den wir gekommen waren. Das Lamellentor war jetzt offen. Wir stiegen in die Autos und fuhren darin eine ewig lange, breite Straßen entlang. Die Häuser links und rechts wurden immer weniger. Dann wieder ein Hochhaus, wieder Dunkelheit, wieder wartende Menschen, zusammengepfercht in einem Zimmer, wieder nur Afghanen, wieder Familien und junge Männer.

Panik stieg in mir auf. Wir waren gerade erst eine Stunde gefahren, wir würden ja niemals in Deutschland ankommen, wenn wir hier schon wieder Halt machten. Doch diese Wohnung war nur ein Sammelpunkt. Nach einigen Stunden ging es weiter. Zwei Familien und drei junge Männer, die anscheinend schon länger in diesem Zimmer auf ihre Abreise gewartet hatten, durften mit uns gehen. Die Wagen, alle mit russischem Kennzeichen, bildeten eine Kolonne, so viele waren wir. Doch die Fahrer hielten bald großen Abstand voneinander, was Vater beunruhigte, denn Mina saß mit Mann und Kindern in einem anderen Auto als wir. Wenn die Polizei eines der Autos – unseres oder das, in dem Mina saß – anhalten würde, würde die Familie auseinandergerissen, das hatte Vater noch in besorgtem Ton zu den Fahrern gesagt. So hatten es uns auch die Leute in der Moschee erzählt: Ganze Familien hatten nicht mehr zueinandergefunden. Ein Vater, der in der Moschee neben uns saß, war sogar freiwillig nach Moskau zurückgekehrt, um seinen Sohn zu suchen. Sie waren auf dem Weg nach Weißrussland getrennt worden.

Doch Vaters Einwände halfen nichts. Es gab keine Busse, und wir passten unmöglich alle in eines dieser Autos.

Samt unserem Gepäck saßen wir, meine Eltern, Salim, der Schneider, der Koch und ich, dicht aneinander. So dicht, dass ich irgendwann meinen Arm nicht mehr spürte. Er war zwischen meiner Stiefmutter und meiner Tasche eingeklemmt. Ich versuchte, ihn zu befreien. Als ich es endlich geschafft hatte, hing er bleischwer, wie tot an meiner Schulter. Es kribbelte unangenehm, sobald ich versuchte, ihn zu bewegen. Irgendwann gab ich den Arm einfach auf.

Vater saß vorne, ich beobachtete ihn halb von der Seite. Und auch wenn wir diese Nacht gut geschlafen hatten, sah er müde aus, die Haut fahl, seine Augen rot, als hätte er geweint. Doch er konnte nicht geweint haben, Vater weinte nie, zumindest hatte ich es nie mitbekommen. Ich sah, er war nur in Sorge. Und das bereitete mir wiederum Sorge. Wenn einer in Sorge ist, dem man sein Leben anvertraut, weil man glaubt, er sei unverwundbar, dann kann einem das Angst machen. Ich litt darunter, Vater so zu sehen. Alle paar Minuten fragte er den Fahrer, ob er schon etwas von den anderen gehört hätte.

Wieder einmal musste ich dringend pinkeln, obwohl ich mich gezwungen hatte, wenig zu trinken, und wieder einmal schüttelte der Fahrer den Kopf. Wir fuhren und fuhren, bis wir endlich in einen Feldweg einbogen, weiter rumpelnd durch einen Wald fuhren, immerzu abwärts, so lange, bis wir auf eine kleine Lichtung stießen, wo schon einige Menschen im Dunkel unter den Bäumen Schutz gesucht hatten. Beim Näherkommen erkannte ich Mina.

Vater sprang erleichtert aus dem Wagen und drückte Mina und die Babys fest an sich. Und auch ich war froh, sie alle wiederzusehen. Unser Fahrer ermahnte uns, leise zu sein: »Chop bashen!« Wir sollten in jedem Fall zusammenbleiben und von den anderen nicht zu weit weggehen, und warten, bis uns jemand abholte. Dann wendete er den Wagen und fuhr davon.

Weit weg gehen konnte ich ohnehin nicht mehr. Auf meinen flehenden Blick hin öffnete meine Stiefmutter ihren langen Mantel, sodass ich mich vor sie auf den Boden hockte und mich endlich erleichterte. Erst später sah ich, dass überall Papier herumlag, anscheinend hatten schon mehrere diesen Ort als Toilette benutzt. Wahrscheinlich Flüchtlinge, Afghanen wie wir.

Eine ganze Stunde verging, und wir wurden unruhig. Ich fror, obwohl ich am Morgen alles, was ich besaß, übereinandergezogen hatte, wie mein Vater es mir befohlen hatte. Der Hunger begann Geräusche in meinem Magen zu verursachen, mir wurde flau. Wie gerne hätte ich mich irgendwo ausgeruht, mich kurz hingesetzt, aber hier gab es nur Bäume und Schnee.

Die Schlepper hatten uns nicht vergessen. Nach einer weiteren langen Stunde quälte sich ein Bus den verschneiten Weg zu uns hinunter. Die Reifen drehten immer wieder durch. Jene von uns, die europäischer aussahen, sollten sich ans Fenster setzen, sagte der Fahrer. Manche zogen ihre Gardinen dennoch zu, damit man sie von außen nicht sehen konnte. Niemand sprach, als der Bus mit lautem Motorengeheul umständlich wendete und sich mit uns darin den Hang wieder hocharbeitete. Allmählich kroch die Wärme wieder in meinen Körper zurück.

Als wir eingestiegen waren, hatten neben dem Fahrer zwei Russen gesessen. Sie machten nur unwillig Platz, blieben im Gang stehen und machten dumme Bemerkungen über die Frauen, die ich zwar nicht verstand, die aber unmissverständlich waren, denn sie zeigten auf uns und lachten. Warum die Russen mitfuhren, wusste ich nicht. Meine Stiefmutter vermutete, sie seien Freunde des Fahrers und kämen mit, damit die Besatzung des Busses russischer aussah, nicht allzu sehr nach Afghanistan. Vielleicht waren es auch Schlepper. Sie hatten rote Köpfe, stanken nach Wodka und waren entsetzlich laut. Als wir wieder auf der Landstraße fuhren, brüllten sie dem Fahrer immer wieder etwas auf Russisch zu, lachten, ich glaube, sie erzählten sich Witze. Sie machten mir Angst mit ihrem lauten Lachen, denn ihre Witze schienen nur für sie lustig zu sein, jedenfalls verzog der Fahrer keine Miene. Jedes Mal, wenn ihre Blicke mich streiften, sah ich ganz schnell auf den Boden, damit sie mich nicht ansprachen, mich am Besten übersahen. Ich hatte schon oft gehört, was Alkohol mit Menschen macht. So schlimm hatte ich es mir dennoch nicht vorgestellt. Meine Stiefmutter schenkte den Russen nur verächtliche Blicke, deutete mit dem Finger auf sie und raunte meinem Vater zu, da hätten wir Muslime doch recht mit dem Alkoholverbot. Die Trinkerei sei ja schrecklich. Sie konnte gar nicht mehr damit aufhören. »Dieser entsetzliche Alkohol«, sagte sie unentwegt und schüttelte dabei den Kopf. Ich hatte es nicht gern, wenn meine Stiefmutter über andere lästerte, aber dieses Mal musste ich ihr recht geben.

Irgendwann wurde es sogar dem Fahrer zu viel, er schrie etwas auf Russisch, etwas wie »Hinsetzen!«. Die beiden Männer gaben noch einige wenige Widerworte, vielleicht, weil auch ihnen mit der Zeit der Spaß abhanden gekommen war. Sie legten sich dann schlafen, mitten auf den Gang, einer begann sogar laut zu schnarchen. Ich fand, dass sich so ein Benehmen nicht gehörte. Doch auch ich war auf einmal unendlich müde. Wie gerne hätte ich meine Beine ausgestreckt, so wie die beiden betrunkenen Männer. Doch in den Gang legen, das hätte ich niemals getan. Wir fuhren stundenlang und hielten erst an, als es Nacht wurde. Der Fahrer rief: »Aussteigen!«

Es war unser erster Fußmarsch. Etwa eine Stunde wanderten wir durch die Nacht. Es war kalt, doch die Bewegung half, nicht völlig auszukühlen. Mein Bruder trug Ali, der Mann von Mina trug Nazima, auch noch ein Baby, nur ein Jahr älter als Ali. Und ab und zu halfen der Koch und der Schneider aus.

Wir marschierten alle hintereinander einen Pfad entlang, der uns durch einen Wald führte, so finster, dass ich nicht mehr erkannte, wer vor mir ging. Schließlich durchquerten wir ein riesiges Schneefeld, das im Mondschein bläulich leuchtete. Ich stolperte, denn ich konnte nicht erkennen, wo bereits Spuren der anderen in den hartgefrorenen Schnee getreten waren. In den tiefen Fußtritten reichte mir der harte Schnee bis zu den Knien, sodass ich oft fiel. Jedes Mal stützte ich mich mit den Händen ab, und meine Handschuhe waren innerhalb kürzester Zeit triefend nass und nach einer Weile steifgefroren. Es waren schöne, warme Angorahandschuhe. Doch ich fror trotzdem erbärmlich an den Fingern.

Seit dem Morgen hatte ich nichts mehr gegessen, bis auf ein paar Nüsse, die wir noch von der Fahrt nach Moskau mitgebracht hatten, und ein Stück Chadjur, den Vater schon in der Moschee streng rationiert hatte und der bald zur Neige ging. Das Laufen fiel mir immer schwerer, und ich bat ihn, eine Pause machen zu dürfen. Doch er fuhr mich an: »Du bist kein kleines Kind mehr, reiß dich zusammen!«

Endlich stoppte der Tross, und der Schlepper, der uns geführt hatte, wies uns hektisch flüsternd an, uns auf den Boden zu legen. Stille. Eine ganze Weile passierte nichts, und die nasse Kälte kroch durch meine Jeans und den Anorak in meine Beine und Arme, bis ich zitterte. Dann endlich Motorengeräusche, Lichter, Männerstimmen, Wortfetzen auf Russisch. Die Lichter erloschen, auch das Motorengeräusch. Dann durften wir aufstehen.

Ich erkannte im Dunkeln drei Traktoren, wie man sie in der Landwirtschaft benutzte, mit niedrigen Anhängern. Ein Mann schubste mich in Richtung eines dieser Karren. Ich sollte mich drauflegen. Noch jemand und noch jemand legte sich auf mich, quer und längs. Ich dachte, ich müsste unter dem Gewicht der anderen ersticken. Mir stießen fremde Knie in den Rücken. Ich wusste nicht, wessen Knie es waren, glaubte aber nicht, dass es jemand aus meiner Familie war, der so auf mir lag. Ich dachte, das hätte sich anders, vertrauter angefühlt. Zuletzt warfen der Schlepper und seine Komplizen Decken über uns, und weiter ging es, auf den Anhängern der Traktoren, viele Stunden durch die Nacht.

KAPITEL 8

Unsere Zeit in der Ukraine ist mir in besonderer Erinnerung geblieben. Vielleicht, weil ich sie mir so anders vorgestellt hatte, die Ukraine, »Ukrain«, wie man in Afghanistan sagte. Hier ließen sich viele Afghanen nieder, das erzählte man sich schon in Kabul. Ich wusste nicht, dass sie es nicht freiwillig taten.

Die Ukraine lag nahe an Deutschland, von Kabul aus gesehen sogar sehr nahe, das hatte ich einmal auf einer Karte gesehen. Sie musste also ein modernes Land sein, dachte ich. Die Häuser hatte ich mir neu vorgestellt, mit viel Glas, Häuser, die bis in den Himmel reichten. Und Menschen, die morgens zur Arbeit gingen, alle in Anzügen, die Frauen in Kostümen, vielleicht mit Sonnenbrillen, wie ich sie schon im Fernsehen gesehen hatte oder hin und wieder in den Straßen von Moskau.

Aber ich wurde enttäuscht.

Unsere Unterkunft lag in einem Vorort von Kiew. Es war ein Hochhaus, aber keines aus Glas, sondern ein grün gestrichener Block. Der Putz bröckelte, die Fenster waren milchig und schienen schon seit Ewigkeiten nicht geputzt worden zu sein.

Wieder hineinschleichen, wieder unauffällig bleiben, geduckt, alle hintereinander. Im Treppenhaus saß ein Pärchen. Das Mädchen war nur wenig älter als ich, der Junge vielleicht so alt wie mein Onkel Mohammed. Sie küssten sich. Ich sah sofort auf den Boden, denn mir war der Anblick peinlich, vor allem, weil wir sie gar nicht zu stören schienen. In Kabul hatte ich niemals gesehen, dass ein Mann eine Frau küsste. Ich hatte auch nie beobachtet, wie Vater meine Stiefmutter auf den Mund küsste. Wie fühlte sich das an?

Der Schlepper war ein junger Afghane. Er war gepflegt, sein Bart gestutzt, seine Haare akkurat nach hinten gekämmt. Und er trug einen langen Ledermantel, der edel aussah und teuer gewesen sein musste. Er führte uns in eines der oberen Stockwerke, wo wir vor einer Tür stehen blieben. Der Schlepper klopfte, dreimal lang, dreimal kurz, dann öffnete er die Tür. Ein dunkler Flur tat sich auf, die Wohnung schien leer. »Keine Gefahr!«, rief der Schlepper, und plötzlich kamen von allen Seiten Menschen aus den Zimmern, sogar aus dem Bad direkt neben dem Eingang. Wie ich feststellen musste, war auch diese Wohnung überfüllt. Sechsundzwanzig Menschen in drei Zimmern auf etwa sechzig Quadratmetern.

Ein Zimmer war für alleinreisende Männer reserviert, in dem kamen auch der Koch und der Schneider unter. Mit ihren Zimmergenossen hatte ich nicht viel zu tun, denn ein afghanisches Mädchen darf sich nicht mit alleinreisenden Männern unterhalten. In den beiden anderen Zimmern war je eine Familie untergebracht. Der Schlepper bestimmte, dass die beiden Familien, die schon da waren, zusammen in das große Zimmer zögen, damit wir Zeit bekämen, uns an die Menschen und die Umgebung zu gewöhnen. Das Zimmer war leer, nur ein paar Decken hatte die andere Familie dort zurückgelassen. In dem anderen

Zimmer gab es ein paar Sitzmöbel und einen Tisch, den die Männer an die Wand geschoben hatten, um Platz zu schaffen, den Raum ein wenig bewohnbarer machten.

Mit der Familie, die unseretwegen das Zimmer räumte, einem Ehepaar mit zwei kleinen Mädchen, freundete sich Mina schnell an. Die Frau hieß Fara, war klein und ziemlich rund. Fara war früher einmal Lehrerin in Kabul gewesen, bevor die Taliban kamen. Ihr Mann, ebenfalls klein, aber schmächtiger als Fara, überließ seiner Frau das Reden, und Fara redete ziemlich viel, wenn sie Zeit hatte – und in dieser Wohnung hatte eigentlich jeder immer Zeit. Sie erzählte, dass sie bereits ein Jahr unterwegs waren und immer wieder von der Polizei in Zügen nach Westen erwischt worden waren. Fara glaubte, in der Ukraine hätten die Polizisten doppelt scharfe Augen. Das sagte sie oft: Auf einen halben Kilometer Entfernung würden sie jemanden als Flüchtling entlarven. Und wenn sie das sagte, rollte sie wild mit den Augen, sodass es einem ziemlich unheimlich werden konnte.

Ihr Mann sei daran zerbrochen, sei ein Trinker geworden. Das erzählte Fara, auch wenn ihr Mann dabeisaß. Woran er genau zerbrochen war, sagte sie nicht.

Heute glaube ich, dass es dieses Unsichtbarsein, dieses Geschehen-lassen-Müssen war, das so mürbe machen konnte. Und dass Fara dies vielleicht besser verkraftete, weil sie kein Mann war. Denn in Afghanistan trugen die Männer die Verantwortung für ihre Frauen und Kinder. Und auf der Flucht waren sie es, die ihre Familien in diese Situation gebracht hatten und die ihre Frauen und Kinder nun nicht mehr beschützen konnten: nicht vor dem Hunger, nicht vor der Kälte, der Entwürdigung, die überall lauerte.

Fara hatte kurze Haare, für eine Afghanin ungewöhnlich, und sie trug auch kein Kopftuch. Sie sagte, auf der Flucht könne man keine langen Haare tragen. Sie hatte ihre Haare zu winzigen Löckchen drehen lassen, so wie es in den 80er Jahren im Westen modern war. In Afghanistan war man immer sehr viel später dran, was die Mode betraf, auch wenn die Frauen eitel waren, vielleicht sogar eitler als europäische Frauen. Denn auch wenn sie eine Burka trugen, so war ihnen doch das Aussehen und damit das Ansehen sehr wichtig. Man konnte sich schließlich den anderen Frauen zeigen, in den Wohnungen, in den Küchen.

Ich weiß nicht, wie oder wo Fara auf ihrer langen Reise einen Friseur gefunden hatte, aber diese Locken kamen mir nicht natürlich vor. Wenn sie ihre Haare gerade frisch gewaschen hatte, erinnerte sie mich immer ein wenig an das Schaf, das eine Zeitlang in Kabul bei uns im Hof gestanden und das mein Vater dann zu Minas Hochzeit geschlachtet hatte. Das Schaf hatte große, treue Augen. Immer wenn ich Zeit hatte, ging ich in den Hof und schmuste mit ihm. Als der Moment kam, in dem der Mann, den Vater für das Schächten geholt hatte, ein sehr, sehr scharfes Messer anlegte, streichelten auch die beiden Männer das Schaf, redeten beruhigend auf das ängstliche Tier ein, um ihm dann, in einer schnellen Bewegung die Kehle durchzuschneiden. Ich fand es unheimlich, denn das Schaf hielt ganz still und sah dabei sehr traurig aus, als wüsste es, dass es gleich sterben würde, aber nichts dagegen tun konnte. Vater sagte immer, Tiere sähen mehr als wir Menschen. Sie spürten die Gefahr schon im Voraus. So wie die Pferde, die vor einem Sturm unruhig werden, auch wenn noch die Sonne scheint.

Fara hatte trotz ihrer kurzen Haare Läuse bekommen. Geduldig kämmte Mina ihr die Läuse, Strähne für Strähne, vom Kopf. Ich hoffte, niemand sonst würde von den Plagegeistern befallen werden. Bei Läusen konnte das schnell gehen, das wusste ich noch aus Kabul, und wir hatten uns alle kaum gewaschen, die Gelegenheit dafür ergab sich einfach zu selten. Wir wechselten nie die Kleidung, alles was wir hatten, zogen wir übereinander. Denn wenn die Schlepper kamen, um uns abzuholen, mussten wir sofort bereit sein. Der Winter war gnadenlos geworden, und die Wohnung blieb unbeheizt. Nur alle zwei Wochen stieg ich in die Wanne, um mich hockend und mit einem nassen Lappen zu waschen, so gut es ging. Denn die Wanne war dreckig und wurde eigentlich dazu benutzt, darüber Wäsche aufzuhängen. Aus dem Hahn kam in einem dünnen Rinnsal nur Eiswasser. Und da neben dieser Wanne zudem die Toilette stand, musste man den Moment abpassen, in dem keiner auf die Toilette gehen wollte, was bei sechsundzwanzig Personen eigentlich nie vorkam.

Ich hatte mich bereit erklärt, auf den Markt zu gehen, um Lebensmittel für alle zu kaufen. Ein Mädchen wie ich fiel schließlich weniger auf als ein Erwachsener, da waren sich alle in der Wohnung einig. Und so bekam ich wenigstens ab und zu die Gelegenheit, an die frische Luft zu gehen. Ich legte mein schwarzes Kopftuch ab und zog ein neues über, das ich in der dunklen Moschee in den Plastikboxen entdeckt hatte. Es war weiß, nicht so eng anliegend, ich band es europäisch. Es sah nach den russischen Frauen aus, die ich aus dem Zug heraus gesehen hatte, die mit den bunten Röcken. Stolz trat ich damit vor die Tür. Mich fröstelte, es war kalt und die Wohnung war kein Ort, um sich zu wärmen. Uns fror andauernd, und meine Finger waren ständig klamm.

Auf dem Markt kaufte ich jedes Mal Lebensmittel für zwei Tage, nicht mehr, für den Fall, dass es weiterginge. Wir wollten nicht zu viel zurücklassen müssen. Der Weg zum Markt dauerte etwa eine Viertelstunde. Ich benötigte die doppelte Zeit, denn auch hier hatte ich viel zu beobachten. Hinter dem Haus musste ich durch einen kleinen Park gehen, der unter einer dicken Schneedecke begraben lag, dann weiter die Hauptstraße entlang, an deren Ende ein Tunnel war, der nur für Fußgänger gedacht war und der auf die andere Seite der Straße und zum Markt führte. Viele kleine Stände waren hier aufgebaut. Hinter ihnen standen dicke Männer und Frauen, die laut herausschrien, was sie gerade im Angebot hatten. Jedes Mal, wenn ich an ihnen vorbeilief, bekam ich riesigen Appetit, so köstlich sah alles aus: das Gemüse, der Käse und das viele Fleisch, das so anders war als das, was man in Afghanistan kaufen konnte. Einmal habe ich sogar einen abgeschnittenen Schweinekopf gesehen. Den ersten Schweinekopf meines Lebens. Er war sehr viel größer, als ich mir einen Schweinekopf vorgestellt hatte. Lange sah ich ihn mir an, ich konnte nichts Unreines an diesem Schwein erkennen. Es war ein Tier, ein totes Tier, geschlachtet wie auch das Schaf und die Hühner, mehr nicht.

Viele Frauen, die auf dem Markt einkauften, fand ich hübsch. Sie hatten sehr blondes Haar und kräftige Waden, die mir trotz der Winterröcke und langen Jacken auffielen. Afghanen haben keine so starken Waden. Die Ukrainerinnen trugen Lippenstift, oft in grellem Pink, standen in Gruppen zusammen, erzählten sich Dinge und lachten. Jedes Mal wenn ich an ihnen vorbeiging, bereiteten sie mir gute Laune, so fröhlich, wie sie mir schienen. In Kabul war es Frauen streng verboten, laut zu lachen. Und in der Wohnung, in der wir uns versteckten, hatte sich bei allen, Männern wie Frauen, eine trübe Stimmung breitgemacht.

Ich hatte genaue Anweisungen, was ich mitbringen sollte: Reis, Eier, Brot und ab und zu Gemüse. Ich hatte sogar gelernt, ein paar Dinge auf Russisch zu sagen. Milch beispielsweise, die ich oft kaufte, hieß »Moloko«. Wenn ein wenig Geld übrig geblieben war, dann kaufte ich mir auf dem Rückweg noch heimlich Schokolade an dem Kiosk im Fußgängertunnel. Ich aß die Schokolade sofort auf, was mir jedes Mal ein schlechtes Gewissen bereitete, wegen Salim. Er hätte sich bestimmt gefreut, etwas davon abzubekommen. Aber wenn mich mein Vater oder meine Stiefmutter mit der Schokolade erwischt hätten, wäre ich bestimmt das letzte Mal auf den Markt gegangen.

Irgendwo in der Nähe musste eine Schule sein. Jedes Mal kurz bevor ich wieder nach Hause zurückkehrte – was immer um die Mittagszeit herum geschah –, traf ich in dem kleinen Park auf Mädchen und Jungen in meinem Alter, vielleicht auch etwas älter. Sie standen herum oder saßen auf Bänken, Jungen und Mädchen zusammen, ohne Aufsicht. Und manche von ihnen rauchten sogar. Neugierig beobachtete ich sie, besonders die Mädchen. Sie waren hübsch zurechtgemacht, trugen schöne Frisuren und Mascara auf ihren Wimpern.

Eines der Mädchen fand ich besonders schön, es trug Stiefel mit einem kleinen Absatz. Einmal rutschte sie darauf aus, denn auf dem Weg lag der Schnee der vergangenen Tage. Er war, von den vielen Fußstapfen zusammengepresst, hart geworden und dadurch spiegelglatt. Sie fiel auf den Po – und alle um sie herum lachten. Das Mädchen aber lachte am lautesten. Alle schienen hier fröhlich zu sein. Es schmerzte ein wenig, sie miteinander herumalbern und lachen zu sehen. Ich beneidete sie darum.

Eines Tages kamen die Schlepper, um Fara und ihre Familie abzuholen. Wir halfen ihnen, alles, was sie herumliegen hatten, in die Taschen zu packen, umarmten sie und wünschten ihnen Glück. Meine Stiefmutter konnte gar nicht aufhören, ihnen Glück zu wünschen, rief es ihnen noch im Flur hinterher, obwohl uns verboten war, auf dem Flur zu sprechen. Nach einer Woche kehrten sie zurück. Sie waren wieder in einem Zug erwischt worden. Mina weinte, als sie Fara in der Tür stehen sah, erschöpft und ohne Worte. Fara heulte nicht. Alle umarmten sich, und abends kochten wir etwas Besonderes, Lamm, damit Fara, ihr Mann und die beiden Kleinen wieder zu Kräften kamen und vielleicht ein wenig aufgemuntert würden. Doch Fara blieb still in diesen Tagen, auch sie schien langsam mürbe zu werden, was ich gut verstand.

Über Mina aber ärgerte ich mich. Immer wieder sagte sie, wenn es Fara so ergangen sei, würde es bei uns nur noch schlimmer kommen. Sie zählte auf, was alles schiefgehen konnte, und ich schrie sie an: »Hör endlich damit auf!« Wie sollten wir es schaffen, wenn wir immer nur an das dachten, was schiefgehen könnte?

Aber was Mina tat, war typisch für uns Afghanen: Wir denken nie über die Lösung nach, sondern immer nur über das Problem.

Auch als Fara und ihre Familie sich wieder eingelebt hatten – sie bekamen die gleiche Ecke im Wohnzimmer zugewiesen, in der sie schon seit Monaten gelagert hatten –, blieb die Stimmung schlecht. Kaum jemand redete, und wenn, reagierten alle gereizt. Ich kann mich noch an einen heftigen Streit zwischen Mina und meinem Vater erinnern, bei dem es um mich ging. Mein Schwager, der Mann von Mina, hatte beobachtet, wie ich mich in der Küche mit einem der alleinreisenden Männer unterhalten hatte, obwohl es mir verboten war. Es war ein belangloses Gespräch, eher aus Höflichkeit hatte ich ein paar Worte mit ihm gewechselt. Doch Mina war mit ihrem Mann einer Meinung, sagte, Vaters Nesthäkchen – so nannte sie mich ab und zu, wenn sie mir Böses wollte – würde ihm noch einmal Schande bereiten. Ich habe äußerst selten erlebt, dass Mina das Wort gegen meinen Vater richtete. »Du wirst dich noch wundern«, schrie sie. »Ager rischeta dar zamin nandachat«, pass auf, sie wird deinen Bart auf den Boden ziehen, was so viel heißt wie: »Sie wird eines Tages deine Ehre beschmutzen.« Denn in Afghanistan steht der Bart für die Ehre. Ich werde ihren Gesichtsausdruck dabei nie vergessen. Mit funkelnden Augen zog sie sich an einem ellenlangen imaginären Bart und drohte dann mit erhobenem Finger, schrie, wie es sonst nur Männer im Streit taten: »Pass bloß auf!«

Mein Vater nahm mich in Schutz, Mina solle sich um ihre eigenen Angelegenheiten kümmern, schrie er zurück. Jahre später, als wir längst in Kassel lebten und ich von zu Hause fortlief, heimlich, ohne jemandem etwas zu sagen, als ich meinen Vater einfach im Stich ließ, musste ich wieder an Minas Worte denken.

Nur einmal passierte etwas Schönes in dieser Wohnung in Kiew. Spätabends kamen wieder Neulinge an, Männer ohne Familie. Wieder das Klopfzeichen, diesmal waren wir es, die in unseren Zimmern verschwanden, dann kam die Entwarnung. Als Vater aus der Tür trat, schrie er überrascht auf. Ich stürmte in den Flur, um zu sehen, was passiert war. Dort standen zwei unserer Nachbarn aus Kabul. Ich traute meinen Augen kaum, ganz Kabul schien in Richtung Westen unterwegs zu sein. Aber die beiden Männer hatten Afghanistan ein Jahr vor uns verlassen. Sie wollten nach Dubai, das hatte sich damals herumgesprochen. Vaters Freude war riesig, denn es war, als wäre ein Stück Heimat durch die Tür getreten.

Es waren Brüder, und sie hatten in Kabul im Keller eines Nachbarhauses eine kleine Änderungsschneiderei betrieben. Der Ältere von beiden hatte mir immer schöne Augen gemacht, wenn wir uns auf dem Hof begegnet waren. In Afghanistan sprachen alle mit den Augen, vor allem Männer und Frauen, miteinander. Respekt bedeutete, die Augen auf den Boden zu richten. Aber wie er mich ansah, das war mehr Neugierde, keine Respektlosigkeit. Ich war zwölf und er ungefähr dreißig Jahre alt, aber in Kabul ist es nicht unnormal, einer Frau trotz dieses Altersunterschieds schöne Augen zu machen. Einmal hatte er mir sogar einen Brief geschrieben. Ich war beschämt, habe den Brief nicht geöffnet und sofort weggeschmissen, aus Angst, ich könnte Ärger bekommen.

Jetzt beobachtete ich die beiden aus sicherer Entfernung. Und doch fand ich es beruhigend, dass sie da waren. Die Stimmung war gut, Vater, die beiden und auch die anderen Männer saßen noch bis in die Nacht hinein zusammen und redeten. Ich erfuhr, dass der Ältere versucht hatte, in Dubai als Übersetzer zu arbeiten, wenn auch illegal, aber er verdiente kein Geld, und jetzt wollten sie ihr Glück im Westen suchen. So wie wir.

Am nächsten Morgen wurden die beiden schon wieder abgeholt. Das machte mich traurig, denn kaum hatte man sich an Menschen gewöhnt, gingen sie schon wieder: zuerst Mohammed, jetzt diese beiden. Ich dachte, je größer die Gruppe sei, die zusammenhielt, desto sicherer sei man auf der Flucht. Und desto mehr könne man vielleicht doch gegen dieses Geschehen-lassen-Müssen unternehmen.

Als ich eines Tages vom Markt kam und wieder einmal länger gebraucht hatte, stand meine Stiefmutter schon unten in der Eingangstür. Sie fauchte mich an: »Wo warst du? Alle warten auf dich!« Sie war sehr aufgebracht. Und der Schlepper mit dem langen Mantel, der neben ihr stand, sagte mit deutlichem Vorwurf in der Stimme: »In fünf Minuten wären wir ohne dich gefahren.« Auch mein Vater schimpfte, als ich die Wohnung betrat. Meine Tasche hatte meine Stiefmutter längst gepackt. Schnell noch drückte sie Fara die Einkäufe in die Hand, und Vater zerrte mich die Treppe wieder hinunter. Ich glaube nicht, dass er es damals zugelassen oder hingenommen hätte, dass sie ohne mich fuhren. Aber schließlich trug Vater die Verantwortung für unsere ganze Familie, nicht nur für mich.

Als wir im Zug saßen, dachte ich noch an Fara, an ihre rollenden Augen, wenn sie sagte, dass die Polizisten in der Ukraine doppelt scharfe Augen hätten. Und daran, dass sie bereits fünf Mal in so einem Zug erwischt worden waren wie dem, in dem wir gerade saßen. Und ich dachte an Mina, wie sie Angst gehabt hatte, uns würde es wie Fara ergehen.

Leider wurden Minas Befürchtungen wahr. Irgendjemand musste den Polizisten einen Tipp gegeben haben. Denn zwei von ihnen – wir erkannten sie nicht sofort, denn sie trugen keine Uniform – kamen direkt in unser Abteil. In diesem Wagen kontrollierten sie niemanden außer uns. Sie fragten nach unseren Pässen, obwohl sie längst zu wissen schienen, dass wir keine besaßen. Und so mussten wir an der nächsten Station aussteigen.

Auch in den anderen Wagen hatten sie gezielt nach Flüchtlingen gesucht und waren fündig geworden. Etwa zwanzig Fahrgäste trugen keine Papiere mit sich, die meisten Afghanen. Wir wurden zu Fuß zu einer Polizeistation in der Nähe der Gleise gebracht. Vor dem Gebäude mussten wir uns im Schnee in einer Reihe aufstellen und wurden schließlich nacheinander zum Verhör hineinbefohlen. In der Reihe fiel mir ein Junge auf. Er kam aus Herat, das konnte ich aus den Gesprächen mit den anderen Flüchtlingen heraushören, denn er sprach den unverkennbaren Dialekt aus der Gegend. Der Junge hatte ein Gesicht wie ein Mädchen, lange dunkle Wimpern, und sogar seine Stimme war auffällig hoch. Ich kann mich deshalb so gut an ihn erinnern, weil wir ihm auf unserer Reise noch ein zweites Mal begegnen sollten. Und weil ihm bei diesem zweiten Mal etwas Schreckliches widerfuhr.

Als ich endlich in dem Raum saß, in dem wir verhört wurden, und ich mich bereits bis auf die Unterhose ausgezogen hatte, blieb ich stumm. Die Polizistin suchte nach etwas, was ich hätte schmuggeln können, so wie es mir die Schlepper gesagt hatten. Ich sollte so tun, als würde ich nichts verstehen, was mir nicht schwerfiel, denn die Frau redete russisch. Immer wieder fragte sie, woher wir kämen und wohin wir wollten. So viel konnte ich ihren Gesten entnehmen. Ich sagte nichts. Irgendwann gab die Polizistin auf.

Vater wurde sehr lange verhört. Es hieß, Familienväter seien für ukrainische Polizisten besonders interessant, denn die Väter trugen Dollar bei sich. Und in der Ukraine war es besonders ratsam, immer Dollar bei sich zu tragen, um bezahlen zu können und dann irgendwann endlich in Ruhe gelassen zu werden. So viel hatten wir gelernt. Keiner der Polizisten ahnte, dass auch meine Stiefmutter und Mina Dollar besaßen. Noch in Kabul hatten sie in ihre Unterhosen ein Versteck eingenäht, eine Art doppelten Boden aus Stoff, in dem einige Scheine verschwinden konnten. Von den Frauen wurde nur eine mit Geld erwischt; sie hatte die Scheine einzeln in eine Klopapierrolle eingewickelt, die sie in ihrer Tasche bei sich trug. Auf das Versteck waren anscheinend schon andere gekommen, die Polizisten kannten den Trick. Sobald sie die Rolle sahen, lachten sie laut auf. Endlich, nach Stunden, ließen die Polizisten auch von Vater ab. Wir stiegen in einen Bus, der vor der Tür wartete. Es war bereits dunkel geworden.

Ukrainische Gefängnisse waren unter den Flüchtlingen gefürchtet und an diesem Abend wusste ich auch warum. Wieder Stockbetten aus Eisen, doch ganz andere als die im Zug nach Moskau. Die Matratzen waren ohne Bezug und stanken nach Schimmel und Urin. Ich ekelte mich, so viele braune Flecken! Es war kalt, und wir deckten uns mit Wolldecken zu, die mindestens genauso verdreckt waren wie die Matratzen und auch genauso rochen.

In unserer Zelle saßen etwa zwanzig Afghanen: Männer, Frauen und Kinder. Nirgendwo gab es eine Rückzugsmöglichkeit, keine freie Nische, in der man sich hätte umziehen oder beten können. Die ukrainische Polizei hatte kein Problem damit, Frauen und Männer auf so engem Raum zusammenzupferchen. Doch für uns Muslime war das eine Qual. Die Männer bemühten sich, ihre Frauen, wenn sie schliefen, vor den Blicken der anderen zu schützen. Und dennoch musste sich jede muslimische Frau in diesem Raum geschändet fühlen. Mein Vater hatte mit den Männern in der Zelle ausgemacht, dass, wenn eine der Familien frei käme, sie den Schleppern der anderen Bescheid gäbe. Denn es würde viel Zeit kosten, bis die von der Mafia, wie Vater sie nannte, überhaupt herausbekämen, wo wir waren.

Immer wieder starrte ich auf die Gitter vor dem winzigen Fenster, das mich in einen leeren Hof blicken ließ. Der Hof war umgeben von hohen Mauern. Diese Gitter waren für mich das Schlimmste, noch schlimmer als die Matratzen, denn sie gaben mir das Gefühl, in einer Falle zu sitzen. Anders als in der Moschee in Moskau, wo wir versteckt, heimlich, unsichtbar waren. Jeder durfte jetzt wissen, dass wir hier waren. Dass wir bestraft wurden, weil wir etwas Verbotenes getan hatten, etwas Kriminelles. So wie die Sache mit den Kaugummis, die ich gestohlen hatte. Dieses Unsichtbarsein, Illegalsein war für mich bisher eher wie die Sache mit den Melonen gewesen, die wir heimlich verspeisten. Ein Nicht-ganz-die-Wahrheit-Sagen. Nur ein Schwindeln. Wir wollten doch keinem schaden, nur ein wenig von dem abbekommen, was für andere selbstverständlich war. Ein sorgenfreies Leben führen. Aber jetzt war ich zu jemandem geworden, der für das, was er getan hatte, hinter Gittern saß wie ein Verbrecher.

Mit der Zeit wurde der Hunger unerträglich. Nur mittags gab man uns etwas dünne Suppe aus gestampften Kartoffeln in unsere Emailleschüsseln. Dazu bekam jede Familie einen halben Laib Brot, mehr nicht. Die meiste Zeit versuchte ich zu schlafen, damit ich möglichst wenig von alledem spürte. Von der Traurigkeit, der Resignation, dem Hunger. Und tatsächlich habe ich kaum Erinnerungen daran, was in diesem Raum geschah.

Nach etwa zwei Wochen bekamen unsere Schlepper uns frei. Sie zahlten, und nach einigen Stunden Autofahrt schlossen uns Fara und die anderen wieder in die Arme.

Bei der zweiten Reise mit dem Zug hatten sich die Schlepper etwas Raffinierteres ausgedacht. Diesmal saßen wir nicht in einem Abteil, sondern wurden versteckt. Die Männer krochen über eine Leiter durch eine kleine Luke in eine Zwischendecke des Waggons, dorthin, wo die Stromkabel entlangliefen. Vater sagte später, es sei beängstigend eng dort gewesen, denn die Männer mussten alle nebeneinanderliegen, ohne sich zu bewegen. Die Frauen wurden in ein winziges Abteil gezwängt, das eigentlich als Aufenthaltsort für den Zugbegleiter gedacht war. Es war so eng dort, dass ich zusammen mit einem anderen Mädchen oben auf der Gepäckablage – ebenfalls liegend – Platz fand, während unter uns Mutter, Mina mit den beiden Kindern und noch zwei Frauen mit drei Mädchen auf dem Schoß kauerten. Die Zugbegleiter konnten die Tür kaum zudrücken. Das Schloss sprang immer wieder auf, und so verriegelten sie die Tür kurzerhand von außen. Und ich hatte die ganze Zugfahrt über Angst, denn wenn Feuer ausbrechen würde, und die Zugbegleiter uns vergäßen, würden wir elendig verbrennen.

Plötzlich bremste der Zug. Die Räder schliffen laut über die Schienen. Wir wussten: Einer der Schlepper, die sich unerkannt im Zug aufhielten, hatte die Notbremse gezogen. Unser Abteil wurde aufgeschlossen, und alles musste jetzt sehr schnell gehen. Wir stoben hinaus, die Männer kletterten über die Leiter aus ihrem Versteck herunter. Der Zug kam zum Stehen und alle sollten hinaus in den Schnee springen. Eine der Frauen, sie war schon älter, traute sich nicht. Ich weiß noch, dass Vater nach ihrem Arm griff und sie mit sich riss. Ich war stolz auf ihn, weil er der Frau half. Ihr eigener Mann war in der Aufregung als einer der Ersten gesprungen.

Schneeflocken umwehten uns. Wir liefen die Gleise entlang auf mehrere Autos zu, die in einiger Entfernung versteckt hinter Bäumen auf uns warteten. Sie brachten uns zu Yussuf.

KAPITEL 9

Ich glaube nicht, dass Yussuf Spaß am Quälen hatte. Sondern er quälte uns, weil er selbst so unglücklich zu sein schien, dass er niemandem auch nur einen kleinen Moment des Glücks gönnte. Er war alt und trug einen grauen, zerzausten Bart. Weißes, wirres Haar fiel ihm in Strähnen vor die Augen. Yussuf war Russe und Vater von einem der Schlepper, den wir genauso schwer verstanden wie den Alten, dessen Launen er uns überließ. Denn der Schlepper selbst sah so gut wie nie nach uns. Es gab also nur uns Flüchtlinge – und Yussuf.

Das Haus lag direkt an der Grenze zu Ungarn, am Rand eines Dorfes. »Still bleiben, keinen Fuß nach draußen vor die Tür setzten«, warnte der Schlepper noch, das hatten wir verstanden. Hier in der Gegend sei es besonders gefährlich, zu viele wollten von hier aus ohne Pass aus dem Land gelangen.

Yussuf bewohnte ein Zimmer mit einer kleinen Küchenzeile, zu der ein winziger Flur gehörte, von dem aus eine Treppe nach oben führte. Im ersten Stock lebten wir: dreiundzwanzig Personen in zwei winzigen Zimmern, wieder eines für alleinreisende Männer und eines für Familien.

Auch der Koch und der Schneider waren in die Autos gestiegen, das hatte ich noch gesehen. Aber hier waren sie nicht angekommen. Ich hoffte, dass ihnen nichts zugestoßen war.

Die Zimmer bei Yussuf waren finster, denn die einzigen beiden Fenster waren mit Plastikplanen abgeklebt. Im Familienzimmer lag wieder nur ein alter, stinkender Teppich. Doch um den war ich froh, denn auch dieses Haus hatte keine Heizung, und der Betonboden darunter schien die Kälte der Außenmauern regelrecht aufzusaugen.

Zwei Monate aßen, schliefen, warteten und froren wir in diesem Zimmer, das einem, wenn man hineintrat, wie ein schwarzes Loch vorkam, so dunkel. Yussuf war unser einziger Ansprechpartner, wenn er überhaupt ansprechbar war, denn er trank den ganzen Tag Wodka. Wir versuchten, ihm nicht in die Quere zu kommen, ihn bloß nicht durch unsere Anwesenheit zu provozieren. Nur wenn einer auf die Toilette gehen wollte, musste er sich im Untergeschoss an Yussuf vorbeischleichen, weiter in den kleinen, schäbigen Hof, in dem zwei Ziegelsteine markierten, was eine Toilette sein sollte. Es gab noch nicht einmal ein Loch im Boden. Jeder stand über den Exkrementen der anderen. Sie türmten sich zu einem hohen Berg in den verschiedensten Brauntönen. Ein Waschbecken gab es nicht, und so wischten wir uns über Wochen nur mit etwas Wasser aus einer Flasche den Schmutz aus dem Gesicht.

Mit uns teilten sich zwei andere Familien das Zimmer. Die eine war jung. Das Paar hatte drei kleine Jungen. Die ganzen Wochen über blieben sie zurückhaltend, unauffällig. Manchmal war es so, als seien sie gar nicht anwesend. An den Mann kann ich mich deshalb erinnern, weil er eine Hasenscharte hatte, die ihm unentwegt ein verzerrtes Lächeln ins Gesicht zeichnete, das irgendwie verzweifelt aussah.

Die andere Familie war schon mit uns in dem Zug gefahren. Der Vater war in Afghanistan ein angesehener Mann gewesen, ein Richter, was meinen Vater zu provozieren schien. Wenn Menschen studiert hatten, bedeutete das für Vater nicht, dass er vor ihnen Respekt hatte. Immer wenn sich der Mann ein klein wenig mehr zu essen nahm, als ihm zugestanden hätte, brummte Vater: »Du bist doch der Richter, kämpfst für Gerechtigkeit und kannst noch nicht einmal gerecht verteilen.«

Mit der Zeit begannen die beiden einen richtigen Machtkampf. Bei der Essensverteilung gab es immer Querelen. Und wenn einer von ihnen das Zimmer verließ, sorgte der andere dafür, dass der Teppich, der nicht groß genug für alle war, ein Stück weiter in Richtung seiner Familie wanderte. Ich kann mich noch gut daran erinnern, als wir später, mit vielen anderen Flüchtlingen, im Frachtraum eines Lastwagens gezwängt dicht an dicht standen und es so eng war, dass beide Männer, so gut es ging, mit dem Rücken versuchten, ihre Familien abzuschirmen, um ihnen ein wenig mehr Luft zu verschaffen. Die beiden Familienväter standen nebeneinander, und statt sich gegenseitig zu helfen und zusammenzuhalten, rempelten sie sich unentwegt an, wenn auch nicht besonders heftig.

Mit der älteren Tochter des Richters hatte ich mich in den Wochen bei Yussuf richtig angefreundet. Sie trug als einzige einen Hut, kein Kopftuch, ganz anders als ihre jüngere Schwester und ihre Mutter, die beide noch den Tschador trugen. Das Mädchen mit dem Hut wollte anders sein, so wie ich. Beide mussten wir damals lachen, als unsere Väter sich gegenseitig schubsten wie kleine Jungen auf dem Schulhof. Dabei war das Ganze eigentlich gar nicht zum Lachen.

Die Frau des Richters war eine »Murmel-Frau«, so nannten wir sie immer, denn wenn sie redete, dann nur murmelnd mit ihrem Mann, der dann für sie sprach. Ihren Ehemann nannte Vater nur »den Richter«, denn wer in Afghanistan Richter, Ingenieur oder Arzt war, brauchte keinen Namen mehr. Später in Deutschland fiel mir auf, dass sich ziemlich viele Afghanen Richter, Doktor und Ingenieur nannten, auch wenn sie früher nur Autos repariert oder irgendwann einmal einen Verband gewechselt hatten. Ich dachte, wenn Afghanistan wirklich so viele studierte Ärzte, Richter und Ingenieure gehabt hätte, dann wäre es mit unserem Land nicht so weit gekommen. Doch das Übertreiben gehört bei uns wohl dazu. In Deutschland hätten diese vielen Ärzte, Richter oder Ingenieure ihren Beruf jedenfalls sowieso niemals ausüben können. Sie dürfen es gar nicht.

Es gab in Yussufs Haus einen jungen Afghanen, hochgewachsen und mit einer auffällig großen Nase. Er war sehr selbstbewusst, sagte immer und jedem, was er dachte, und vor allem hatte er auch keine Angst vor Yussuf, was ich bewunderte. Ich glaube, das war auch der Grund, warum er Yussuf am ehesten zu beschwichtigen wusste. Denn je demütiger wir waren, desto mehr schien das den betrunkenen Russen in Rage zu bringen.

Der Mann mit der Nase war zusammen mit einem Freund auf der Flucht, der mir schon auf der Busfahrt aufgefallen war. Er hatte nicht nur weißes Haar, obwohl er nicht älter als fünfundzwanzig zu sein schien, sondern auch weiße Wimpern und Brauen. Ständig musste ich ihn anstarren, niemals zuvor hatte ich so etwas gesehen, bis ich mich, nach ein paar Tagen, an ihn gewöhnt hatte.

Die beiden Männer kamen aus Kandahar, und der mit den weißen Haaren sprach nur Paschtu, einen Dialekt, den ich nicht beherrsche. Aber Mina und meine Stiefmutter erzählten, er sei zwar ein wenig verrückt, aber auch sehr lustig. Der Richter hatte für seinen kleinen Sohn eine leere Flasche im Zimmer aufgestellt, damit der Kleine, wenn er nachts pinkeln musste, Yussuf nicht störte, indem er auf den Hof ging. An einem Morgen war die Flasche bis oben hin voll, obwohl der Richter sicher war, dass der Kleine nicht einmal aufgewacht war. Sofort hatten alle den Mann mit den weißen Haaren in Verdacht. Dass er sich nicht schämte, mitten in der Nacht in unser Zimmer zu gehen und vor den schlafenden Frauen in die Flasche zu urinieren! Die Frauen zeterten, die Väter empörten sich. Alle redeten sie den ganzen Tag über den weißen Mann, aber keiner sprach ihn auf die Sache mit der Flasche an. Ich glaubte nicht, dass er so unverschämt war, hatte aber auch keine Erklärung für die vollgepinkelte Flasche.

Ab und zu trafen wir uns alle im Familienzimmer und überlegten, wie wir Yussuf für uns gewinnen konnten. Die Frauen schlugen vor, den Abwasch für ihn zu erledigen, und einmal ging Mina mit Ali nach unten, um Yussuf ihr Baby zu zeigen und dessen wunden Po. Aber auch Kinder schienen Yussuf in keiner Weise zu berühren. Irgendwann in seinem Leben musste der alte Mann kalt geworden sein, vielleicht hatte man ihm etwas Böses angetan, vielleicht war ihm auch etwas Schlimmes passiert oder aber über lange, lange Zeit hin nichts wirklich Schönes.

Ich hatte Angst vor ihm, denn je mehr Alkohol er getrunken hatte, desto willkürlicher waren seine Ausbrüche, diese Hasstiraden auf Russisch, die wir über uns ergehen lassen mussten, ohne dass wir sie verstanden. Nur das Wort »Tricha!«, das er immer laut ausstieß, das bedeutet:

»Schnauze!« Das Einzige, was Yussuf auf Englisch brüllte, war: »Always chai – toilet – chai – toilet«. Mit einer hohen, quakigen Stimme versuchte er uns Frauen nachzuäffen. Er wollte wohl sagen, dass wir, wenn wir weniger Tee trinken würden, auch nicht so oft auf die Toilette müssten. Dann bliebe ihm unser Anblick erspart. Aber Afghanen, die keinen Chai trinken, sind nun einmal keine richtigen Afghanen. Und Tee mit Milch half schließlich auch gegen den Hunger.

Manchmal, wenn Yussuf bessere Laune hatte, gingen ein paar der Männer – jene, die Alkohol tranken – zu ihm hinunter und versuchten, ihn mit mehr Wodka freundlicher zu stimmen. Sie schenkten ihm immer wieder nach, um ihm dann Informationen zu entlocken. Etwa, wie viele Flüchtlinge es über die Grenze schafften, wie lange sie im Allgemeinen bei Yussuf blieben oder ob sich einer der Schlepper mal wieder gemeldet hätte. Und manchmal nutzte jemand sogar die Gelegenheit und versuchte den Schlepper von Yussufs Telefon aus selbst zu erreichen, während die anderen den Alten ablenkten.

Jeden Tag gab es Reis und ab und an ein Hühnerbein dazu, mehr für den Geschmack im Reis. Denn hätten wir das Bein gerecht aufgeteilt, wären jedem von uns nur ein paar Fasern geblieben. Der Hunger wurde unerträglich, und mit den Wochen wurden wir schwächer und schwächer. Eines Tages wachte ich auf und meine Mutter schrie auf, als sie mich sah. »Sie hat gelbe Augen, gelbe Augen!« Ich fühlte mich elend und muss entsetzlich ausgesehen haben, denn auch Vater erschrak, nahm meine Hände und schrie ebenfalls. Meine Fingernägel waren blau-schwarz angelaufen. Es sah scheußlich aus, und ich bekam Angst, weil Vater so besorgt war und weil ich mich kaum bewegen konnte, so matt war ich. Und es wurde Stunde um Stunde schlimmer.

Vater raufte sich mit fahrigen Fingern das Haar, lief im Zimmer auf und ab wie ein Löwe im Käfig, dann ging er hinunter. Die Frau von Yussuf gab ihm eine Tablette. Sie war nicht wirklich seine Frau, denn sie lebte woanders. Sie sagte einmal, sie ertrage die Zustände in diesem Haus nicht. Doch wenn eine Frau sich um einen Mann kümmert – auch wenn es nur alle zwei Wochen ist –, gehen Afghanen davon aus, dass die beiden miteinander verheiratet sind.

Ich schluckte die Tablette und erbrach sie kurze Zeit darauf, was Vater in die Verzweiflung zu treiben schien. »Was sollen wir tun?«, rief er in den Raum, bekam jedoch nur Achselzucken als Antwort. Keiner wusste, was zu tun war, denn unser Unsichtbar-sein-Müssen bedeutete auch, dass kein Arzt helfen konnte. Wir hatten gehört, dass Menschen auf der Flucht gestorben waren, an Lungenentzündung oder Durchfall. Wir waren nun einmal ein »Geschäft« – und bei so vielen Flüchtlingen kam es auf einen mehr oder weniger nicht an. Schon gar nicht, wenn er die anderen, die vielen, in Gefahr brachte.

Irgendwann verschwand Vater und kam mit Zitronen und Zwiebeln zurück. Ich sollte ihren Saft zusammen mit viel Wasser trinken. Alle halbe Stunde flößte Vater mir das Gebräu ein, meine Stiefmutter und Salim streichelten mir den Kopf, und Mina weinte immer ein bisschen, wenn sie mich ansah. Tatsächlich ging es mir nach ein paar Tagen besser. Bis heute weiß ich nicht, was mir fehlte. Vielleicht war es eine Vergiftung, denn ich hatte schließlich seit Wochen starke Verstopfung. Meine Stiefmutter machte mir Vorwürfe. Ich sei sicher von der vielen Schokolade krank geworden, die ich in Kiew verschlungen hätte. Sie hatten also doch mitbekommen, dass ich am Kiosk gewesen war.

Zweimal versuchten wir, von Yussuf wegzukommen. Beim ersten Mal hatten wir gerade hartgekochte Eier mit Brot gegessen. Seit meiner Erkrankung waren auch die Schlepper vorsichtiger mit uns geworden, und wir durften einmal die Woche eine kleine Einkaufsliste schreiben. Ich hatte meine Eier gerade geschält, da polterte es von unten. Zwei Schlepper stürmten die Treppen hoch und riefen: »Es geht los!«

Wir sollten die Eier liegen lassen und auch unsere Uhren abgeben und alles, was wir sonst mit uns trugen. Damit, wenn wir erwischt würden, niemand nachvollziehen könne, woher wir kämen. Auf den Eiern war ein Stempel, das konnte ich verstehen, das mit den Uhren aber nicht. Und schon gar nicht, dass ich meine schöne Pocahontas-Uhr abgeben musste, die mir Nessrin doch aus Kanada geschickt hatte.

Der Freund des Weißhaarigen, der mit der großen Nase, weigerte sich, seine Armbanduhr abzugeben. Sie sei ein Geschenk seines Onkels aus Paris. Die Schlepper und er diskutierten, stritten dann bedrohlich, bis sich Vater einmischte und den Mann mit der großen Nase bat, einzulenken, sonst würden wir nie von hier loskommen.

Wir griffen nach unseren Sachen, die immer fertig gepackt bereit standen, und ich stopfte mir noch schnell ein Ei in den Mund. Ich weiß noch, dass wir nicht alle in das Auto passten. Unseres war das letzte. Da meine Stiefmutter und ich noch draußen standen, packte der Schlepper sie am Arm, zog sie in die Tür und presste sie in den Wagen. Und als es ihm nicht schnell genug ging, half er noch mit einem

Fußtritt nach. Mir wollte er die Tasche wegnehmen, zerrte an ihr. »Kein Platz«, schrie er, doch ich hielt sie fest, fluchte, und zwischen uns gab es ein richtiges Gerangel. Anscheinend war der Schlepper so verblüfft darüber, dass ein afghanisches Mädchen so kräftig fluchen konnte, dass er lachte und von mir abließ. Ich bekam ebenfalls einen Tritt und lag halb auf meiner Stiefmutter, halb auf Salim im Wagen.

Mein Vater war sehr stolz auf mich. »Gut gemacht, Zohre«, sagte er, denn in dieser Tasche hatten wir die letzten Nüsse versteckt, das Einzige, was wir noch an Nahrung besaßen. Ein Alleinreisender, der ebenfalls im Wagen saß, meinte später, das sei mutig gewesen, denn der Schlepper war einer der Bosse in diesem Grenzgebiet. Ich freute mich über so viel Lob.

Wir waren vielleicht eine Viertelstunde gefahren, da kam über Funk ein Alarmruf. Die Grenze würde kontrolliert. Der Fahrer kehrte um, und eine weitere Viertelstunde später saßen wir alle wieder auf dem Teppich und aßen die Eier weiter. Die Uhren hatten wir nicht wiederbekommen.

Einige Wochen später holte uns dieselbe Wagenkolonne wieder ab. Unser Fahrer fuhr mit zusammengekniffenen Augen, und es sah so aus, als hätte er sein Gesicht auf dem Lenkrad abgestützt, so nah saß er an der Scheibe. Ich glaube, der Scheibenwischer funktionierte nicht, und draußen schneite es wie verrückt. Wir waren dreiundzwanzig Menschen in zwei Autos und einem Lieferwagen, und wir fuhren etwa eine halbe Stunde, als das Funkgerät erneut Alarm schlug. Diesmal mussten wir aussteigen und uns im Straßengraben in den nassen Schnee legen und warten. Doch keiner kam, vor dem wir uns hätten verstecken müssen.

Kaum hatten uns die Schlepper wieder eingesammelt, wir waren gerade durchnässt und frierend eingestiegen, da hielt uns die Polizei an. Der Fahrer schien die Polizisten zu kennen, er zahlte, und ohne ein Wort ließen sie uns wenden und davonfahren. Wieder saßen wir bei Yussuf auf dem Teppich, wieder warteten wir tagelang, starrten gegen die Wand, schliefen, tranken Chai …

Es waren schon mehr als vier Monate seit der Nacht vergangen, in der wir Kabul verlassen hatten, bis uns die Flucht gelang, nur weg von diesem Haus. Yussuf hatte an diesem Tag Geburtstag. Einige der Männer gingen zu Yussuf hinunter, um ihm zu gratulieren und um ihm Wodka einzuschenken. Plötzlich hörten wir Lärm, entsetzliches Geschepper und Gebrüll, so als wenn ein wild gewordener Affe in der Küche toben würde. Und Affen können sehr wild werden. Später habe ich einmal gehört, dass die Taliban Affen sogar ausbildeten, damit sie auf Amerikaner losgingen. Aber ich weiß nicht, ob das stimmt.

Wir liefen nach unten und sahen Yussuf, der mit Tellern um sich schmiss und die Männer beschimpfte. Er hörte gar nicht auf zu schreien, war außer sich, auch wenn – oder vielleicht weil – ihn die Männer versuchten festzuhalten. Später erzählten sie, Yussuf habe einen von ihnen angespuckt, obwohl ihn niemand provoziert hatte. Dann sei er ausgerastet, habe einem der Afghanen Wodka ins Gesicht geschüttet und sei vor Wut schnaubend zum Telefon gelaufen. Er könne unseren Gestank nicht mehr ertragen, habe er geschrien. Und: »Ich rufe die Polizei!« Die Männer hielten ihn fest, alle zusammen. Und einer rannte zum Telefon und rief die Schlepper zu Hilfe. Die holten uns ab. Und dieses Mal kehrten wir nicht mehr zu Yussuf zurück.

KAPITEL 10

Wochen vergingen. Ich weiß nicht mehr, wie oft wir noch in überfüllten Räumen schliefen, für eine Nacht oder auch für zwei. Dann wieder aus dem Schlaf gerissen wurden, um weiterzuziehen. Das Schlimmste war, dass die Reise immer beschwerlicher wurde, je näher wir Deutschland kamen, immer härter und unerträglicher. Und damit immer unwirklicher. Sie war wie ein böser Traum, in dem man nur darauf wartet, endlich aufzuwachen. Wir mussten alles hinnehmen, geschehen lassen, zu weit waren wir schon gekommen. Dieses Warten, Schlafen in Scheunen, Buden, Hütten, Lagern, mit so vielen anderen Menschen. Wir wurden immer mehr, die in immer größeren Gruppen auf die Schlepper warteten, bis sie uns dann wieder nur an einen anderen Ort verfrachteten. Nachts dann wieder vorwärts, wieder in Lastwagen, Autos, auf Karren, und weitermarschieren durch den Schnee. Der Hunger machte uns zusätzlich verrückt.

Einmal bekamen wir genug zu Essen. Der Schlepper, der uns übernahm, war ein Anfänger, und er schien genauso nervös zu sein wie wir, wenn wir eine neue Unterkunft bezogen. Denn wir hatten oft genug erlebt, dass jedes Mal unsere schlimmsten Befürchtungen übertroffen wurden. Der Anfänger-Schlepper war klein und stämmig, ein Russe, hatte kaum Haare auf dem Kopf, aber ein weiches Gesicht, und immer wenn er jemanden von uns etwas fragte, dann lächelte er. Er brachte allen Brot, Käse und Wurst, sagte, es sei Geflügelwurst, und wir glaubten es ihm nur zu gern. Er fragte sogar, ob wir noch etwas bräuchten, Wünsche hätten. Und vorlaute Männer, die in der Ecke der Alleinreisenden Platz genommen hatten, bestellten Fanta – die sie sogar einen Tag später bekamen.

Meine Stiefmutter ermahnte mich, nicht zu viel in mich hineinzuschlingen, denn ich hatte die Verstopfung endlich überwunden, dafür aber Durchfall bekommen. So schlimmen Durchfall, dass ich Gefahr lief auszutrocknen. Auf der Flucht zu sein und Durchfall zu haben war Folter, denn ich hatte so große Schmerzen, dass ich fast umfiel. Eine Gruppe, die marschierte, konnte nicht ständig warten. Und ein Bus, der fuhr, hielt nicht alle zehn Minuten an.

Ich musste mich schwer zurückhalten, nicht so viel Käse und Wurst in mich hineinzustopfen, wie ich mit beiden Händen greifen konnte. Wenn man so ausgehungert ist, denkt man bei dem Anblick von belegten Broten nicht an später.

Wir schliefen alle in einer kleinen Scheune, die hinter dem Haus des Russen auf einer Anhöhe versteckt hinter hohen Fichten stand. Auch den Koch und den Schneider trafen wir dort wieder, worüber sich nicht nur Vater freute.

Die Scheune war eine einfache Bretterbude, durch deren Ritzen der kalte Wind pfiff, fast so kalt, als würden wir im Freien übernachten. Es war dunkel dort, und niemand wusste genau, ob es Tag oder Nacht war. Nur wenn man durch ein kleines Fenster sah – es war eigentlich mehr ein Guckloch mit Milchglas –, ließ sich erahnen, ob es draußen noch hell oder die Nacht bereits eingebrochen war. Wir waren etwa vierzig Personen, die in der Scheune, etwa so groß wie das Wohnzimmer in Kiew, Schutz suchten. Und obwohl alle dicht aneinander gedrängt saßen, sodass man den Atem seines Hintermannes im Nacken spüren konnte, war nicht genügend Platz für alle.

Wir diskutierten alle durcheinander und beschlossen, dass die Männer, die ohne Familien unterwegs waren, sich abwechselten mit dem Sitzen. Zu ihnen gehörten der Koch, der Schneider und auch der Weißhaarige mit seinem Freund. Sie waren in der Minderzahl und hatten dem Beschluss wenig entgegenzusetzen. Alle drei Stunden saß nun die Hälfte der Männer mit uns in der Scheune und die andere Hälfte versammelte sich stehend in einem winzigen Vorraum, der als Toilette diente. Nach drei Stunden wechselten sie.

Die Toilette bestand aus einem Eimer, in den ein wenig Wasser gefüllt war. Der Russe leerte ihn einmal am Tag und füllte neues Wasser hinein, aber es stank dennoch überall nach Kloake.

Am Eingang des Hauptraumes lehnte eine schmale Leiter an der Wand, die auf einen zweiten Boden führte, wo die Maiskolben des Russen lagerten. Ich hatte die Idee, einige davon als Proviant für die Weiterfahrt herunterzuholen und einzustecken. Doch meine Stiefmutter sagte: »Wer weiß, ob da oben nicht jemand sein Geschäft erledigt hat.«

Ein guter Gedanke, wie ich fand. Denn auf dem Eimer hätte ich mich niemals erleichtern können – vor all den Männern. Ich stieg also die Leiter hinauf und hockte mich in eine Ecke, wo der Maisberg am niedrigsten war.

Mein Versteck sprach sich herum, und einige Frauen machten es mir nach. Einmal tropfte es von der Zwischendecke ausgerechnet auf die Frau des Richters. Und als sie sich beklagte – allmählich begann sie mit uns zu sprechen und murmelte nicht mehr nur –, jetzt regne es auch noch durchs Dach, wurde uns anderen sofort klar, dass das kein Regen war, denn oben, genau über ihr, hatte sich eine Frau gerade hingehockt.

Die Frau des Richters wusste nicht, ob sie lachen oder schreien sollte. Sie entschied sich fürs Lachen und wir stimmten dankbar mit ein.

Unter den Alleinreisenden gab es eine Gruppe von vier oder fünf Männern, alle groß und bullig. Alle hatten dichtes schwarzes Haar. Es waren diejenigen, die die Fanta bestellt hatten. Ich merkte, dass Vater, der Mann von Mina und auch der Koch und der Schneider sehr vorsichtig mit ihnen umgingen, so als hätten sie keine Lust, mit ihnen in Konflikt zu geraten. Die fremden Männer wirkten furchtlos, beinahe arrogant und uns gegenüber sogar ein wenig feindselig, wie ich fand. Man erzählte sich, dass sie aus Pancheri kamen und einmal der Nord-Allianz angehörten, für uns damals also die Bösen waren. Nun flüchteten auch sie, weil sie zu Feinden der Taliban geworden waren – und zu Verfolgten.

Mitten im Raum stand ein Weinfass, das Vater sofort angesteuert hatte, als wir die Scheune betreten hatten, um uns den besten Platz zu sichern. Dort schlugen wir unser Lager auf und hatten in dem ansonsten leeren Raum wenigstens das Fass, um uns anzulehnen. Ich entschied, darauf zu schlafen, und nicht auf dem Boden, auf dem Heu ausgelegt war, das aber feucht war und faulig roch. Wenn ich mich ganz klein einrollte, war der Deckel des Fasses breit genug. Nur weg von den Wanzen, den Käfern und Kneifern, die auf dem Boden kreuchten, erhaben über den Gestank der Menschen.

Einmal kam einer dieser Männer auf mich zu. Er fragte mich, wie ich heiße. Ich sagte: »Zohre.« Und er sagte nur: »Zohre, mach Platz!« Ich räumte das Fass und der Mann machte sich mit einem seiner Kumpel daran, einen Schlauch durch eine mit einem Brett bedeckte Öffnung im oberen Teil des Fasses einzuführen. Ich habe nicht genau gesehen, was sie da machten. Einer saugte am Schlauch und der zweite zapfte an anderer Stelle den Wein ab und ließ ihn, dunkelrot wie Blut, in eine leere Flasche laufen. Es war tatsächlich Wein in diesem Fass. Und ich glaube, die Männer hatten kein schlechtes Gewissen, denn oft genug hatten die Schlepper uns beraubt, die Uhren und das Geld, unsere letzten Habseligkeiten einfach für sich behalten. Ein wenig schade fand ich, dass es ausgerechnet den Anfänger-Schlepper traf, der ein anständiger Mensch zu sein schien, wenn auch kein Muslim.

An diesem Abend tranken diese Männer Wein, sehr viel Wein. Sie zogen sich in den Toiletten-Raum zurück, dorthin, wo die Hälfte der alleinreisenden Männer stehend ausharrte. Sie waren laut, sangen. Und mein Vater machte sich Sorgen, denn die Männer brachten uns damit alle in Gefahr. Doch keiner traute sich etwas zu sagen, ich glaube sie hatten alle Angst vor diesen Kerlen. »Nordallianz« war ein Wort, das sie mit Krieg, Bomben und der puren Angst verbanden. Und somit standen diese Männer für alles

Schlechte. Ich versuchte trotz des Lärms zu schlafen, aber in diesen Tagen schlief niemand wirklich, es war mehr wie ein ständiges Ruhen, ein Halb-Wachsein mit geschlossenen Augen.

Ich versuchte, an andere Dinge zu denken, schöne Dinge, stellte mir vor, wie ich mit offenem Haar die Straße entlanglief, vorbei an den Gebäuden aus Glas. Oder wie ich mit anderen Mädchen, sie hatten alle blondes Haar, zusammenstand und lachte, und mich ins Kino mit ihnen verabredete. Und ich die schönsten Kleider trug. Und als ich an die vielen schönen Dinge dachte, die mir in Deutschland widerfahren würden, genau in diesem Moment, passierte in dem Vorraum, in dem die Männer standen, etwas sehr Schlimmes.

»Sie haben ihn genommen«, sagte der Mann von Mina irgendwann in der Morgendämmerung. »Sie haben es wirklich getan.« Er schien fassungslos. Vater nickte nur, sagte: »Ich weiß.« Er senkte dabei den Kopf. Ich wollte wissen, was geschehen war, aber keiner antwortete. Und doch habe ich es aus den Gesprächen herausgehört. Wenn es darauf ankam, dann hatte ich wirklich gute Ohren.

Die Männer aus Pancheri hatten sich in der Nacht den Jungen geholt, den mit den langen Wimpern und der hohen Stimme. Sie haben sich »ihn genommen«, wie der Mann von Mina sagte. Und sie hatten es vor den anderen Männern getan, die drei Stunden dort gestanden hatten, gewartet, bis sie sich wieder in die Scheune setzen durften. Der Junge hatte nichts gesagt, sei nur mit gesenktem Kopf aus der Tür zum Toilettenraum verschwunden, hinter den Männern her. In unserem Raum hatte man nur Gejohle und Gestöhne gehört.

Ich fragte mich, wie Männer, die behaupteten, sie seien Muslime, so etwas tun konnten. Dieselben Männer, die es als Schande ansahen, wenn Frauen nur ein Haar zeigten. Sich aber Jungen griffen und sie vergewaltigten.

Wie die Taliban. Die Gottesfürchtigen, die Frauen peitschten oder sie umbrachten, wenn sie unkeusch waren, und sich kleine Jungen hielten, wie es ihnen beliebte.

In Afghanistan war Homosexualität eine große Sünde, wurde mit dem Tod bestraft, von eben diesen Männern, denen mit den langen Bärten, den Gläubigen. Vielleicht, weil Frauen, erwachsene Frauen, unter ihren Burkas so wenig anfassenswert, so fremd für sie geworden waren. Ich war wütend und verwirrt. Ein guter Mensch ist, wenn er Muslim ist und ehrenhaft handelte. Das hatte mein Vater immer gesagt.

Ich dachte an Jasmin. Ihre Familie waren streng gläubige Muslime. Der Vater schlank und drahtig, ein tüchtiger Mann, ehrenwert, wie Vater immer sagte. Und dennoch war es Jasmin passiert. Nicht nur ein Bruder hatte es getan. Nein, es waren zwei, die nichts voneinander zu wissen glaubten. Der eine fasste sie nur an. An Stellen, wo es sich nicht ziemte, sie zu berühren. Schon gar nicht bei kleinen Mädchen.

Jasmin schämte sich, mochte es nicht, so angefasst zu werden. Sie bat ihren Bruder, es nicht mehr zu tun, doch der lachte nur. Der andere Bruder war brutaler, führte in den kleinen Körper ein, was ging, auch mit Gewalt. Und dann ging er beten, als wäre nichts geschehen. Beim ersten Mal war Jasmin sechs Jahre alt. Und sie fühlte, dass etwas Schreckliches, etwas Grausames mit ihr geschah.

Unsere Kultur ist manchmal eigenartig. Auch wenn Kinder in Afghanistan niemals darüber aufgeklärt werden, wie man Kinder macht, so wussten wir schon sehr früh, wann ein Mädchen, eine Frau, keine Ehre mehr besaß, weil sie niemand mehr heiraten würde. Dann war sie einfach nichts mehr wert, nur Abfall. Schlimmer noch, ein menschlicher Abfall, der Schande über die Familie brachte und der verstoßen, ja, getötet werden durfte. Wenn sich Jasmin ihrem Vater anvertraut hätte oder wenn es der Vater auf anderen Wegen herausbekommen hätte, da waren Jasmin und ich uns sicher, wäre sie diejenige gewesen, die Schande über die Familie gebracht hätte, diejenige, die als Erste erschlagen worden wäre, nicht die Brüder. So war das bei uns.

Ich weiß noch, wo wir waren, als sie es mir sagte. Wir saßen auf der Treppe zum Hof und genossen die Herbstsonne, die unsere Haut wärmte, als Jasmin von ihren Brüdern erzählte. Dass sie komische Dinge mit ihr machten und dass sie nicht wüsste, was sie tun sollte. Zuerst deutete sie es nur an, dann brach es aus ihr heraus. Sie hatte starke Schmerzen. Heute glaube ich, dass sie eine Blasenentzündung hatte. Jasmin dachte, die Schmerzen kämen vielleicht von dem, was die Brüder mit ihr machten. Und sie hatte schreckliche Angst, dass alles entdeckt würde. Als sie das sagte, erinnerten ihre Augen mich an die der Hühner, die wir auf dem Bazar kauften und mit nach Hause nahmen, um sie zu rupfen: kleine schwarze Knöpfe, ohne Ausdruck, matt und tot.

Seit diesem Tag im Hof sah ich Jasmin kaum mehr. Sie

kam mich nicht besuchen, ließ sich entschuldigen, wenn ich vor ihrer Tür stand und nach ihr fragte, blieb einfach verschwunden. Vielleicht deshalb, weil ich die Einzige war, die von ihrem Leid wusste, und weil sie immer, wenn sie mich sah, daran erinnert wurde. Manchmal versucht man Dinge, die man nicht erträgt, zu vergessen, sie in die hinterste Ecke der Erinnerung zu schieben, sodass sie einem mehr wie ein böser Traum vorkommen. Und wenn diese Dinge dann doch einmal ausgesprochen werden, sind sie plötzlich wahr, und niemand kann die Wahrheit wieder ungeschehen machen.

Ein Jahr später, da waren wir gerade zehn Jahre alt, versuchte Jasmin, sich umzubringen. Das hatte sich herumgesprochen, obwohl es eigentlich geheißen hatte, Schuld an dem dicken Arm wäre ein entzündeter Mückenstich.

Aber Afghanen sind gut im Tratschen. Und irgendein Verwandter der Familie konnte seinen Mund nicht halten. Ausgerechnet ich hatte es ihr sogar noch erzählt, wie man es macht, sich das Leben nehmen, fand es spannend. Man müsse sich nur mit einer Spritze Luft in den Körper drücken und schon wäre man tot. Das hatte ich irgendwo aufgeschnappt. So einfach, dachte ich damals, ist es also, ein Leben auszulöschen, nicht ahnend, was ich damit anrichtete.

Denn jeder Haushalt hatte Spritzen gelagert. Frauen durften in der Zeit der Taliban keinen Arzt aufsuchen, und so hatte man immer Medikamente, Verbände und Kanülen im Haus, für den Notfall. Was ich nicht wusste, war, dass man nicht sofort stirbt.

Jasmin blähte auf, zunächst nur ihr linker Arm, wie eine dicke, weißlich-schwammige Fleischrolle soll er ausgesehen haben, dann wurde er rot und juckte. Und irgendwann blähte der ganze Körper auf, die Brust, der Bauch, die Beine. Sie bekam keine Luft, dann brach sie in der Küche zusammen.

Mehrere Wochen musste sie im Krankenhaus bleiben, zwei davon auf der Intensivstation, soweit man in Kabul von einer solchen sprechen konnte. Eine riesige Narbe blieb an ihrem Arm zurück, dort, wo sie sich die Luft in den Körper gepumpt hatte. Und alle Nachbarn starrten darauf.

Der Junge mit den langen Wimpern hatte auch keine Wahl. Und sicherlich war es sogar das Beste, was er tun konnte, einfach mitzugehen, es geschehen zu lassen. Denn hätte er sich geweigert, wäre er nicht mitgegangen, hätten die Männer aus Panscheri es dennoch mit ihm gemacht, und wenn er sich gewehrt hätte, wären sie nur gröber und härter vorgegangen.

Die nächsten Wochen blieben alle zusammen, wir, der Schneider, der Koch, der Richter und seine Familie, die Familie des Mannes mit der Hasenscharte, der Weißhaarige und der Mann mit der Nase, die brutalen Männer aus Pancheri, der hübsche Junge mit den langen Wimpern und der ganze Rest. Wir kamen nur langsam vorwärts, denn nach der Grenze zu Ungarn ging es die meiste Zeit zu Fuß durch den Schnee. Und wir wussten, dass schon viele Flüchtlinge durch die Nässe und diese Kälte krank geworden und manche auch gestorben waren.

Neben den Krankheiten war der wahrscheinlichste Tod auf unserer Route das Ertrinken. Wir überquerten zwei Flüsse, einen kleineren und einen großen, was vielen von uns Angst bereitete, denn Afghanen sind wasserscheu und können nicht schwimmen. Nicht, dass wir Wasser nicht mögen, zwei Mal hatten wir früher mit der ganzen Familie einen Ausflug an einen Fluss im Norden Afghanistans gemacht, um zu picknicken. Es war ein schöner Ort, das Wasser plätscherte sanft, der Anblick erfrischte in den heißen Sommermonaten. Aber niemand von uns war je auf die Idee gekommen, dort baden zu gehen, schon gar nicht die Frauen. Wir sahen die Notwendigkeit einfach nicht. Wasser war für Fische da, nicht für Menschen.

Der kleinere Fluss war nicht breiter als eine dreispurige Straße, aber durch die rasende, strudelnde Strömung entstanden auf der Wasseroberfläche Schaumkronen. In ihm waren die meisten ertrunken, zumindest aber verschwunden, einfach vom Wasser weggezogen, ihre Rufe vom Tosen des Wassers verschluckt. Das hatte sich bis nach Kabul herumgesprochen.

Ich glaube, es war vor allem die Angst, die sie Ertrinken ließ. Denn wer Angst hat, macht Fehler, macht eine falsche Bewegung, verkrampft. Es war Nacht. Wir warteten am Ufer, bis der Schlepper sein OK gab: Je drei Flüchtlinge stiegen auf einen der alten LKW-Reifen, die die Schlepper nach und nach ins Wasser ließen und mit einem Seilzug ans andere Ufer zogen. Minas Mann nahm Ali in seinen Anorak; ich kann mich heute noch an die blanke Angst in Minas Gesicht erinnern. Vater nahm Nazima. Sie wurde ihm mit dem Kopftuch meiner Mutter fest auf den Rücken gebunden. Dann setzten sie sich auf den Rand des Reifens, klammerten sich an dem Seil fest und verschwanden lautlos in der Finsternis.

Ich weiß nicht, wie lange es dauerte, bis ich am anderen

Ufer war. Ich weiß aber, dass ich sehr schnell meine Hände und Füße nicht mehr spürte, was gut war, denn die Kälte hatte einen stumpfen Schmerz ausgelöst, der sich von den Fingern und Zehen allmählich hoch in Unterarme und Waden fraß. Es war unmöglich, die Füße aus dem Eiswasser zu halten. Ich spürte den Sog unter mir, der den Reifen vom Seil zu reißen drohte. Dass keiner von uns ins Wasser fiel, dass keiner von uns erfror, war ein Wunder, denn als die Schlepper endlich den letzten Flüchtling aus dem Wasser gezogen hatten, war sicherlich eine Stunde vergangen, in der die anderen versteckt hinter Büschen warteten – im Schnee, mit nassen Schuhen, vollgesaugt und schwer. Als alle angekommen schienen, zählte ein Schlepper durch – keiner fehlte, alle hatten überlebt. Und dann ging es noch einmal über Felder und durch Wälder – marschieren, immer weitermarschieren.

Als wir Tage später den großen Fluss überquerten, mit richtigen kleinen Booten (heute weiß ich, dass es die Donau gewesen sein muss), beugte ich mich über den Rand hinunter zum Wasser und ließ das eisige Nass durch meine Finger gleiten. Ich konnte spüren, wie wir vorwärtskamen, jeden Meter, weiter in Richtung Deutschland. Es war eine mondlose Nacht, diesig, irgendwo hinter der Nebelwand warteten die Grenzposten, und dennoch erschien mir die Stimmung friedlich. Auf der anderen Seite, weit entfernt, sah ich ein Licht im Dunst drei Mal aufleuchten. An. Aus. An. Aus. An: das Zeichen für die Schlepper, dass die Überfahrt sicher war. Wir fuhren mit einem Notmotor, der leise brummte, und glitten fast lautlos über die Wasserfläche. Als ich mich über den Bootsrand beugte, flüsterte meine Stiefmutter noch: »Zohre, was tust du? Du wirst noch ins Wasser fallen.« Doch ich war sicher, mir würde nichts passieren. Manchmal weiß man, dass man Glück haben wird, und ich war mir in diesem Moment sicher, irgendwann, irgendwie würde ich in diesem Deutschland ankommen. Wäre nicht diese ständige Angst gewesen, doch noch entdeckt und zurückgeschickt zu werden oder im Gefängnis zu landen, glaube ich, hätte ich die Überfahrt genießen können. Es war das erste Mal, dass ich in einem Boot übers Wasser fuhr.

Wieder vergingen Wochen, und wir hatten großes Glück: Nur noch ein einziges Mal wurden wir von der Polizei entdeckt. Wir erreichten eine Hütte, wieder ein Sammelpunkt, an dem schon etwa zwanzig Männer aus Sri Lanka warteten, um ihre Reise in den Westen fortzusetzen. Sie waren nicht älter als sechzehn oder siebzehn, fast noch Kinder. Wir verbrachten nur einige Tage gemeinsam mit ihnen in dieser Hütte, und dennoch gab es Reibungen zwischen uns Afghanen und ihnen.

Inzwischen war unsere Gruppe auf sechzig Menschen angewachsen. Und in Zeiten, in denen jeder damit beschäftigt ist, wie er überlebt, liegen die Nerven blank, wird der Ton rauer. Diese fremden Jungen waren so eigenartig in ihren bunten Tüchern, die sie um den Körper gewickelt trugen, so ganz anders als wir Afghanen uns kleideten – und auch anders als der Westen. Wir rotteten uns zusammen, verschanzten uns in einer freien Ecke, bildeten eine Art Schutzwall, um uns von diesen Jungen abzuschirmen. Einige der Frauen blickten zu ihnen naserümpfend hinüber. Die Haut der Männer war so schwarz, »dreckig«, wie die Frauen behaupteten.

Mir taten die Jungen leid, denn sie hatten niemanden, keinen Erwachsenen, bei dem sie hätten Rat suchen können. Und wir Afghanen taten meist so, als existierten sie gar nicht. Und wenn wir einmal nicht so taten, dann rempelte einer unserer Männer einen dieser Jungen im Vorbeigehen, wie zufällig, an und schrie: »Pass doch auf, du Trottel!«

Ich kann mich noch erinnern, dass diese Jungen eines Abends eine Suppe gekocht hatten. Mir lief das Wasser im Mund zusammen, so lecker roch es herüber. Doch die anderen hätten es mir sehr übel genommen, hätte ich die Jungen gefragt, ob ich etwas davon probieren dürfte. Ich glaube, für uns war dieses Abschotten, dieses »gegen die anderen sein« wichtig. Denn die Märsche durch den Schnee hatten uns mürbe gemacht. Und diese Angst, dieser ständige Hunger machten anfällig für Streit. Und so hatten nun wenigstens wir Afghanen das Gefühl, zusammenhalten zu müssen, konnten die Wut auf andere lenken. Es funktionierte, denn sogar Vater und der Richter kamen in diesen Tagen ohne Streit aus.

Nur meine Stiefmutter hatte ein paar warme Gefühle für diese jungen Männer übrig. Wenn sich ihre Blicke trafen, so hatte ich beobachtet, dann lächelte sie ihnen zu. Und wenn jemand einen der Jungen anrempelte, schimpfte sie mit ihm. »Was soll das«, rief sie dann, »er hat dir nichts getan!« Ich glaube, die Jungen erinnerten sie an ihre eigenen Söhne, die in diesem Alter gewesen waren, als sie in den Westen gingen, und womöglich auf der Flucht auch niemanden hatten, dem sie sich anvertrauen konnten. Ich glaube, ihr blutete bei dem Gedanken das Herz.

Dass mir diese Hütte besonders fest im Gedächtnis blieb, liegt auch daran, dass ich dort meine letzten Erinnerungen an meine Kindheit, an die Zeit in Kabul, zurückließ. Jene

Erinnerungen, die man sehen, riechen, anfassen kann und die einem damit Gewissheit geben, dass das alles einmal wahr gewesen ist. Doch jetzt waren die Märsche zu beschwerlich geworden. Und Kabul schien mir zu entrückt, zu weit weg, um noch Dinge mit mir herumzuschleppen, die mir nicht das Leben retten würden. Ich suchte nach einem geeigneten Versteck und entdeckte im Badezimmer unter der alten Wanne einen Hohlraum. Ich schob die Teekanne mit dem silbernen Deckel und die Tulpengläser Stück für Stück so weit es ging in das Loch unter der Wanne. Auch das Poesiealbum legte ich dazu. Ich dachte, vielleicht würde ich ja diese Hütte eines Tages wiederfinden können.

Zunächst ging es zu Fuß weiter, dann mit dem Lastwagen. Es war derselbe Lastwagen, in dessen Frachtraum Vater und der Richter das Gerangel angefangen hatten, um uns, ihren Familien, mehr Platz zu verschaffen. Ich war froh, endlich nicht mehr marschieren zu müssen, meine Füße waren blutig gelaufen, und durch die Schuhsohlen drang die Nässe. Unsere Gruppe war groß, durch die Jungen aus Sri Lanka waren wir fast zu viele, um alle im Frachtraum Platz zu finden. Tatsächlich waren wir so viele, dass diejenigen, die in der Mitte standen, zu ersticken drohten. Stunden fuhren wir wie Vieh zusammengepfercht, bemühten uns, bei jedem Holperer nicht über die anderen zu fallen.

Ich stand ganz an der Wand des LKWs und konnte durch ein kleines Lüftungsgitter spähen. Wir fuhren über eine Landstraße, die jedoch recht befahren war. Viele Autos überholten uns, was ich den anderen berichtete und was für Unruhe sorgte. Denn je befahrener eine Strecke war, desto größer war die Gefahr, kontrolliert zu werden. Wir dösten im Stehen, schwitzten, stöhnten, hingen unseren Gedanken nach, bis der Lastwagen plötzlich stehen blieb, mitten auf der Straße, das konnte ich sehen. Der Fahrer fluchte durch die Plane hindurch, dann hörten wir, wie er wütend gegen die Felgen trat. Irgendetwas mit dem Motor sei nicht in Ordnung, rief er, wir sollten Geduld haben. Dann hörten wir lange Zeit nichts mehr.

An dieser Stelle einen Motorschaden zu haben kam einer Selbstanzeige bei der Polizei gleich. Alle wurden nervös, einige holten wieder ihre Gebetsketten hervor und wisperten vor sich hin. Ein Mann rief: »Was sollen wir tun?« Wir diskutierten. Ein Teil von uns war dafür, einfach stillzuhalten und abzuwarten, andere wollten aus dem Lastwagen raus und in den nahegelegenen Wald flüchten, um sich dort zu verstecken. Und wieder andere wollten den Weißhaarigen hinausschicken, um den Fahrer zu fragen, ob er helfen könnte, denn er sah fast aus wie ein Europäer und würde uns wohl nicht verraten.

Wir diskutierten und stritten ziemlich lange, mit vorgehaltener Hand, zischten, keiften. Immer auf der Hut. Emotionen kochten hoch und wurden mühsam unterdrückt, der Lautstärke wegen. Dann schlug einer Alarm. Er sah auf der gegenüberliegenden Seite des Frachtraums wie ich durch ein Gitter auf die Straße, berichtete nervös, ein Mercedes sei langsam an dem Lastwagen vorbeigefahren und irgendwo weiter vorne stehen geblieben. Stille. Man konnte den Atem derer hören, die um einen herumstanden, so ruhig war es. Nach einer kurzen Weile kam die Entwarnung, der Mercedes war weitergefahren und wir begannen uns von Neuem zu streiten.

Irgendwann beschloss der Weißhaarige selbst, einfach nachzusehen, ob er dem Fahrer helfen könne. Doch er kam achselzuckend zurück – der Fahrer war nicht mehr da. Er war einfach in den Mercedes gestiegen und abgehauen. Jetzt begriffen wir: Er hatte uns im Stich gelassen. Die Frauen schrien, woraufhin die Kinder schrien, und die Väter brüllten alle durcheinander. Dann hörten wir Sirenengeheul.

Männer mit Spürhunden in Uniform umstellten den Lastwagen, einer lüftete die Plane zum Frachtraum. Er trug einen Helm und richtete einen riesigen Schutzschild gegen uns. Tageslicht fiel in den Lastwagen, es blendete uns. Der Polizist guckte verblüfft, sicher wegen der Masse an Menschen, die dichtgedrängt standen und ihn verschreckt anstarrten.

Er rief irgendetwas und ließ die Plane fallen. Keiner von uns sagte ein Wort, wir hörten nur, wie die Männer sich draußen mit gedämpften Stimmen in einer fremden Sprache unterhielten. Im Nachhinein weiß ich, dass es Tschechisch war. Mir kam es wie eine Ewigkeit vor, bis die Plane wieder gehoben wurde. Die Polizisten hatten Verstärkung gerufen, ein Bus hatte am Straßenrand gehalten, mehrere Mannschaftswagen und noch ein halbes Dutzend Krankenwagen mit Sanitätern, die in den Frachtraum stiegen und zu allererst die Kinder mit Decken und Getränken versorgten.

Die meisten Kinder wurden später ins Krankenhaus gebracht, wegen Unterernährung und Unterkühlung, wie ein Übersetzer in schlechtem Dari sagte, der mit den Polizisten gekommen war. Salim und ich durften bei Vater und den anderen bleiben, und Nazima und Ali auch – da sie noch gestillt wurden, was ihnen vielleicht das Leben gerettet hatte. Nur Mina sah fürchterlich aus, mit schwarzen Ringen unter den Augen und völlig ausgezehrt.

Einige Väter begleiteten ihre Kinder ins Krankenhaus; der Übersetzer versprach, dass sie alle so bald wie möglich nachkommen würden. Der Rest wurde in den Bus gesetzt und zu einer nahe gelegenen Polizeistation gebracht. Dort mussten wir unsere Fingerabdrücke abgeben, wovor sich die meisten von uns besonders fürchteten. Es gab das Gerücht, dass, wer einmal seinen Fingerabdruck abgegeben hatte, niemals in irgendeinem Land Asyl bekäme. Manche Schlepper boten sogar an, gegen einen Aufpreis die Fingerkuppen abzuraspeln. Andere versuchten es selbst mit einem Feuerzeug: Verbrannte Haut vernarbt, und so glaubten sie, ihre Identität unkenntlich zu machen. Aber das stimmte nicht.

Ich bemühte mich, meinen Finger nur ganz leicht und etwas seitlich auf das Stempelkissen zu legen, doch die Polizisten halfen nach, waren dabei aber sehr freundlich. Sie waren die nettesten Polizisten, die ich je getroffen hatte, klopften mir sogar auf die Schulter, um mir zu sagen, dass ich das gut machte, was mich ein wenig beschämte, weil auch das nicht stimmte. Anschließend drückten sie mir einen ganzen Beutel mit kleinen runden Käsehappen in die Hand, die in einer eigenartigen roten Wachshülle steckten. Sie schmeckten ausgezeichnet. Und eine Polizistin (ich hatte noch nie eine weibliche Polizistin gesehen!) strich mir ein paarmal über den Kopf, so als ob sie mir sagen wollte, ich müsste keine Angst mehr haben. Doch was wusste sie schon! Die Hoffnung, dass wir in Deutschland ankommen würden, schwand mit jedem Tag. Und wenn sie erst einmal meine Fingerabdrücke hatten, dann würden sie mich und uns alle bestimmt zurück in die Ukraine schicken – oder nach Afghanistan. Dann war alles umsonst gewesen.

Das Lager, in das sie uns brachten, lag einige Busstunden von der Polizeistation entfernt in Richtung Westen. Es befand sich in der Nähe von Prag, wie ich später erfuhr. Ich glaube, sie wussten nicht, wohin sonst mit uns. Das Lager war ein guter Ort für Flüchtlinge: Fünf Container, in zweien schliefen Afghanen, Familien und Alleinreisende, und in den restlichen Albaner und Afrikaner. Dort kamen auch die Jungen aus Sri Lanka unter. Eine Übersetzerin half uns, damit wir uns im Lager zurechtfanden. Sie erklärte, wir würden nach Nationalitäten getrennt, um Komplikationen zu vermeiden. Vor einigen Wochen hatte es dennoch eine Messerstecherei zwischen einem Afghanen und einem Albaner gegeben. Ich glaube, wir alle waren nicht mehr fähig, mit Meinungsverschiedenheiten sorgsam umzugehen, sie auszuhalten und Streitereien aus dem Weg zu gehen. Das Gelände war von einem hohen Zaun aus dichten Maschen und mit Stacheldraht darüber umgeben. Er ließ es nicht zu, dass irgendjemand von diesem Ort fortging, um mal ein paar Minuten für sich zu sein, allein zu sein und die angestaute Wut auf alles und nichts in den Wald hineinzuschreien, oder auch einfach in den Himmel.

Die Schlafcontainer standen in einem Halbrund um zwei Gebäude. Sie waren aus Stein und größer als die Container. In einem trafen wir uns zum Essen. Aus allen Containern kamen die Flüchtlinge hier zusammen. Das fand ich toll. Nie zuvor war ich in einem Restaurant gewesen. Aber so stellte ich mir eines vor. Viele Menschen, die an langen Tischen saßen, gemeinsam aßen und sich dabei unterhielten. Nach dieser furchtbaren, ewig langen Zeit bei Yussuf schmeckte das Essen so gut, dass ich mich jedes Mal schon Stunden vorher darauf freute. Vor allem war es warm. Jeden Abend gab es Fleisch mit Reis – sogar Salat in kleinen Schüsseln oder Pasta mit Tomatensoße, die ich zuvor noch nie gegessen hatte und die ich zu lieben begann. Morgens aßen wir Brot mit Käse; und für uns Afghanen gab es Rinderwurst. Am ersten Morgen hatte ich eine Menge Brote verschlungen. Alles, was ich nicht mehr schaffte, stopfte ich schnell in meine Jackentasche, für den Fall, dass wir bald weitermüssten. Nach zwei Wochen griff ich wieder einmal in meine Tasche und spürte steinhartes Brot. Ich hatte es einfach vergessen.

Der Tee aber war das Beste an diesem Restaurant. Früchtetee! Afghanen tranken immer nur schwarzen oder grünen Tee, meist Chai mit Milch, am liebsten mit viel Zucker und Kardamom. Anfangs überlegte ich, wie sie es hinbekommen hatten, für so viele Flüchtlinge die Früchte zu pressen. Bis mir jemand erklärte, dass das in großen Fabriken geschah, nicht in dieser tschechischen Lagerküche.

Von dem Speiseraum ging ein kleiner Raum ab, der vollgestellt war mit Bücherregalen. Dort konnten wir Tschechisch lernen. Einmal bin ich zu solch einem Sprachkurs gegangen und kann heute noch auf Tschechisch sagen: »Hallo! Jmenuju se Zohre. Jak se mas?« Das heißt: »Hallo! Ich heiße Zohre. Wie geht es Ihnen?«

Das andere Gebäude war die Krankenstation. Natürlich waren wir Afghanen die ersten, die dort hinliefen, um uns untersuchen zu lassen. Der eine hatte es am Knie, der andere am Herzen. In Kabul hatte es so etwas nicht gegeben. Jetzt hatten wir auf einmal die Gelegenheit, einen Arzt aufzusuchen. Und tatsächlich stellten die Ärzte bei allen irgendein Leiden fest, bei den meisten an den Gelenken. Und alle waren unterernährt.

Wir blieben für einige Wochen in diesem Lager. Und mit jedem weiteren Morgen, den wir dort aufwachten, konnten wir uns gegenseitig dabei zusehen, wie wir wieder zu Kräften kamen. Die Tochter des Richters und ich hatten sogar Freunde gefunden, drei Jungen in unserem Alter. Sie kamen aus dem Kosovo und erzählten uns von Prag. Sie seien schon öfter dort gewesen, es sei eine schöne Stadt mit alten, aber sehr stattlichen Gebäuden, majestätischen Brücken und hohen Kirchtürmen. Einer der Jungen zeichnete mir ein Bild von einer der Kirchen, die dort standen.

Vater hatte nicht mitbekommen, dass wir uns gut mit diesen Jungen verstanden. Eigentlich schlief er die meiste Zeit. Alles schien so friedlich, so frei von Angst. Das Schönste in diesem Lager aber war das Gefühl, nicht mehr unsichtbar zu sein, gesehen zu werden, behandelt zu werden wie ein Mensch. Obwohl wir keine Pässe hatten, illegal waren, wie man so sagte.

Nach einiger Zeit durften wir sogar Ausflüge machen, das Gelände mit dem hohen Zaun verlassen, wenn wir uns beim Pförtner abmeldeten. »Was wollen wir mehr?«, so dachte ich, und überlegte, ob es nicht besser wäre, einfach hierzubleiben, hier zu leben. Wir würden ja wegen der Fingerabdrücke in Deutschland vielleicht gar kein Asyl bekommen. Vielleicht würden sie uns ja hierbehalten, wenn wir friedlich blieben und mithalfen, wo wir konnten.

Es war kein Zufall, dass der Lastwagen des Schleppers ausgerechnet auf dieser Strecke kaputt gegangen war, so kurz hinter der tschechischen Grenze. Das hatten uns die anderen Flüchtlinge im Lager erzählt. Ich konnte es kaum glauben, als ich es erfuhr. Dabei war es ganz einfach: Der

Motorschaden gehörte zum Plan. Der Motor war gar nicht kaputt gegangen, der Schlepper hatte nur so getan. Die Schlepper kannten sich aus, nicht nur mit den Strecken und der Polizei, sondern auch mit den Gesetzen. In Tschechien durfte man uns nicht zurückschicken, sondern man musste uns aufnehmen. Die Schlepper wussten also genau, dass wir in einem Lager unterkommen würden. Und so konnten sie einige Wochen viel Geld sparen, mussten nicht für Unterkunft und Essen sorgen. Und wir waren zudem noch gesundheitlich versorgt.

Es war das Beste, was uns passieren konnte. Denn ich bin sicher, einige von uns hätten das, was uns nun bevorstand, sonst nicht überlebt. Ein Körper, der geschwächt ist, keine Kraft mehr hat, sich gegen die Kälte und den Hunger zu wehren, der gibt schnell auf. Er bricht einfach zusammen, versagt. Hätten wir gewusst, wie schwer es werden würde, diese letzte Grenze, die wichtigste, die nach Deutschland, zu überwinden, wären wir nie aus Kabul fortgegangen.

Wir nahmen unser Ausflugsrecht, wie es hieß, wahr, und Vater besorgte uns Fahrkarten für den Zug nach Prag. Nicht um die Stadt zu besichtigen – dafür war keine Zeit. Vater hatte längst mit den Schleppern Kontakt aufgenommen. Auf einem Parkplatz in der Nähe des Prager Hauptbahnhofs warteten schon ihre Autos auf uns.

Erst am späten Nachmittag, nach stundenlanger Fahrt, hielten wir in einem Waldstück. »Aussteigen!«, hieß es. Dann waren wir wieder auf uns gestellt. Wir sollten einen Pfad entlangwandern, bis ein Fluss käme, sagte der Schlepper. Dort sollten wir warten, uns still verhalten, bis wir abgeholt würden. Es sei die gefährlichste, weil am besten bewachte Grenze auf dem ganzen langen Weg von Kabul nach Deutschland, sagte der Schlepper noch.

Es dämmerte, und ich bekam ein komisches Gefühl in der Magengegend. Seit wir uns auf den Weg nach Westen begeben hatten, war mein Magen immer nervöser geworden. Entweder er gluckerte, knurrte oder er tat weh. Ich dachte, das sei sicher wegen der ständigen Anspannung. Und jetzt, so kurz vor Deutschland, war sie besonders groß. Wir würden bald da sein. Die Grenze musste ganz in der Nähe liegen. »Germany«, wie wir Flüchtlinge es nannten, mein »beautiful Germany«, das Land, in dem alles besser werden würde, wie wir hofften, war so nah wie noch nie.

Doch ich spürte nichts von dieser Nähe. Es war kalt, grausam kalt, der Himmel klar. Wenn es nicht schneit, der Winterhimmel klar ist und die Sterne eisig zu funkeln beginnen, könne das bedeuten, dass diese Nacht besonders kalt würde, sagte Vater. Nässe kroch aus meinen kaputten Schuhen in die Beine und weiter in den ganzen Körper.

Wir kämpften uns durch den Schnee, Eisklumpen blieben an den Stiefeln haften, machten die Beine schwer, zogen sie auf den Boden. Keiner sprach, jeder kämpfte für sich. Wir wanderten über weite Schneefelder, auf der linken Seite lag Wald, der mir in der Dämmerung wie ein riesiges schwarzes Loch erschien, das zwischen Schneedecke und Himmel klaffte. Es war unheimlich. Ich hatte das Gefühl, als ob von dort, irgendwo in diesem Schwarz, Augen auf uns gerichtet waren. Ich könnte heute nicht sagen, wovor ich damals mehr Angst hatte: erwischt zu werden oder weiter ins Ungewisse zu laufen. Deutschland, Germany, es schien mir so weit weg wie nie.

Irgendwann hörten wir leises Rauschen. Der Fluss! Wir waren richtig gelaufen, hier war der Treffpunkt. Jetzt mussten wir nur noch warten.

Mit uns war eine Frau marschiert, die ihre beiden Kinder bei sich hatte. Wir sahen sie das erste Mal. Auf der Flucht war ich noch keiner Frau ohne einen Mann an ihrer Seite begegnet. Ich kann mich noch erinnern, dass diese Frau einen langen Pelzmantel trug, der ihr bis zu den Knöcheln reichte und der so weit war, dass sie in der Nacht ihre Kinder darunter verstecken konnte, um sie warm zu halten.

Vater hatte sich ein Tuch meiner Stiefmutter um Mund, Nase und den ganzen Kopf gebunden, sodass nur seine Augen frei waren. Nirgendwo fanden wir irgendeinen Schutz, weit und breit nichts Trockenes, schon gar nichts, was wärmte. Hier war nur Kälte und Eis. Wir hockten auf dem Boden. Aufrecht stehend hätte man uns entdecken können und sitzend, im Schnee, wären wir erfroren. Auf der anderen Seite des Flusses sahen wir Lichter. Dort irgendwo war dieses Deutschland. Durchhalten, hinnehmen.

Meine Knie schmerzten. Ich versuchte, die Beine zu entlasten, indem ich in der Hocke mein Gewicht auf ein Bein verlagerte und das andere ausstreckte. Anfangs flüsterte Vater uns immer wieder etwas zu, etwas wie: »Bald haben wir es geschafft« oder: »Ihr seid sehr tapfer«. Wir sollten unsere Finger in Bewegung halten und uns immer wieder anders hinhocken, die Arme kreisen lassen, Bewegung sei gut gegen die Kälte. Die Stunden vergingen, und Vater begann sich Sorgen zu machen, besprach mit dem Mann von Mina und der Frau, ob wir aufgeben sollten, einfach fortgehen, Schutz suchen. Aber was, wenn die

Mafia bald käme, um uns abzuholen, und wir wären nicht mehr da? Was war richtig in dieser Situation, was war falsch? Sie konnten sich nicht entscheiden, und so blieben wir in der Kälte hocken.

Allmählich wurde auch Vater müde, uns flüsternd zum Durchhalten zu bewegen. Außer dem Wind, der manchmal aufheulte, und hin und wieder einem leisen Stöhnen, war es unsagbar still. Als wären wir an dem verlassensten Stück Erde angekommen, das es gab. Wie reglose Wachspuppen hockten wir dort, eingehüllt in Jacken und Tücher, stumm und starr. Einfach nur aushalten, nicht einschlafen, überleben, bis wir endlich gerettet würden.

Es muss mitten in der Nacht gewesen sein, da löste sich Vater plötzlich aus seiner Starre, sprang auf, fluchte und griff nach den Armen Salims, der neben ihm kauerte, packte seinen Kopf mit beiden Händen. Ich dachte, vielleicht war Vater doch eingeschlafen und hatte schlecht geträumt. Er schrie Salim an, er solle ihm in die Augen sehen. Salim war ganz klein geworden, ganz in sich zusammengesunken in dieser Nacht. So klein hatte ich ihn noch nie gesehen. Einen kurzen Moment leuchtete sein Gesicht im Mondschein, wie ein Gespenst, violett die Lippen, wie Porzellan die Haut.

Vater begann ihn zu schütteln, dann holte er aus. Mit seiner ausgebreiteten Hand – Vater hatte riesige Hände, richtige Pranken – schlug er Salim mitten in sein schönes, zartes Gesicht. Ich hörte, wie die Hand auf die Haut klatschte, ein, zwei, drei Mal, immer wieder schlug Vater auf Salim ein. Auf den Bauch, auf den Rücken, die Beine und wieder ins Gesicht, mit voller Wucht. Ich schrie: »Er hat doch nichts getan!« Wie grausam, dachte ich, schrie wieder: »Vater, er hat nichts Schlimmes getan!«, und stürzte mich auf ihn, damit er von Salim abließ, doch er schüttelte mich nur ab und schlug weiter.

Irgendwann begriff ich: Salim reagierte kaum. Vater prügelte gerade wieder Leben in ihn hinein. Er schlug, schlug immer weiter, sodass sein Körper wieder erwachte und das warme Blut in die Haut, seine Glieder, den Rumpf, in Salims Kopf zurückschoss. Ich glaube, diesmal hatte Vater geweint, als er ihn schlug. Aber es half. Am nächsten Morgen war Salim am Leben, wenn auch nur halb.

Mit dem ersten Sonnenstrahl beschloss mein Vater, zu gehen. Wir wanderten den Pfad zurück, dann eine Straße entlang. Vielleicht drei Stunden – und wir hatten Glück. Da waren plötzlich Häuser, viele Häuser, und ein kleiner Bahnhof. Dort lösten wir Tickets und fuhren zurück nach Prag, dort waren wir sicherer und fielen nicht auf. Erschöpft nahm Vater in einer der Telefonzellen am Prager Bahnhof den Hörer in die Hand und wählte die Nummer der Schlepper. Und wieder, nach einigen Stunden Warten, holten sie uns ab. Die Frau mit dem langen Pelzmantel und den zwei Kindern sahen wir nicht wieder.

Wir hatten die Nacht nicht geschlafen. Ich war so müde, dass ich nicht begriff, was um mich herum geschah. Ich stieg einfach in eines der Autos und ließ mich auf den Rücksitz fallen. Endlich sitzen, geschützt in der Wärme. Ich schloss die Augen.

Erst als wir losfuhren, bemerkte ich, dass weder Vater noch die anderen mit mir in das Auto gestiegen waren. Vorne saß ein junger Afghane, neben mir zwei Jungen und ein Mädchen, das zu der Gruppe zu gehören schien, aber Iranerin war. Meine Familie musste also in einem der

© privat

(Oben) Das einzige Bild von mir auf der Flucht.

(Unten) Mein erster Traumjob: Flugzeugelektronikerin. Das Schülerpraktikum am Caldener Flughafen war superspannend.

© privat

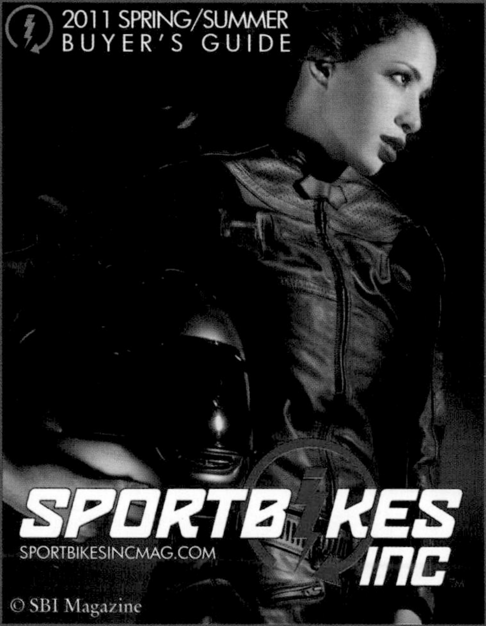

© privat

© privat

© SBI Magazine

(Oben links) Die coole Zeit in New York.

(Oben rechts) Ein Urlaub im Everglades-Nationalpark.

(Unten links) Auf dem Cover eines USA-Magazins aus der Zeit in New York.

(Oben) Meine erste Vogue-Veröffentlichung.

(Unten rechts) Shooting für Makkaya in der Schweiz.

(Unten links) Beim Eppli-Shooting habe ich wunderschöne Sachen auch für mich entdeckt.

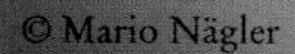

© Mario Nägler

© Eugen Mai

(Oben links) Shooting für Hair-Award.

(Oben rechts) Shooting in filmpark-babelsberg in Berlin.

(Unten) Meine erste große Kampagne war europaweit ein super Erfolg.

© Fa. Bretz

© Aylin Sibel Reckermann

© privat

(Oben) Mit Alex zu arbeiten hat wahnsinnig Spaß gemacht.

(Unten) Show-Backstage mit meiner lieben Kollegin Ela.

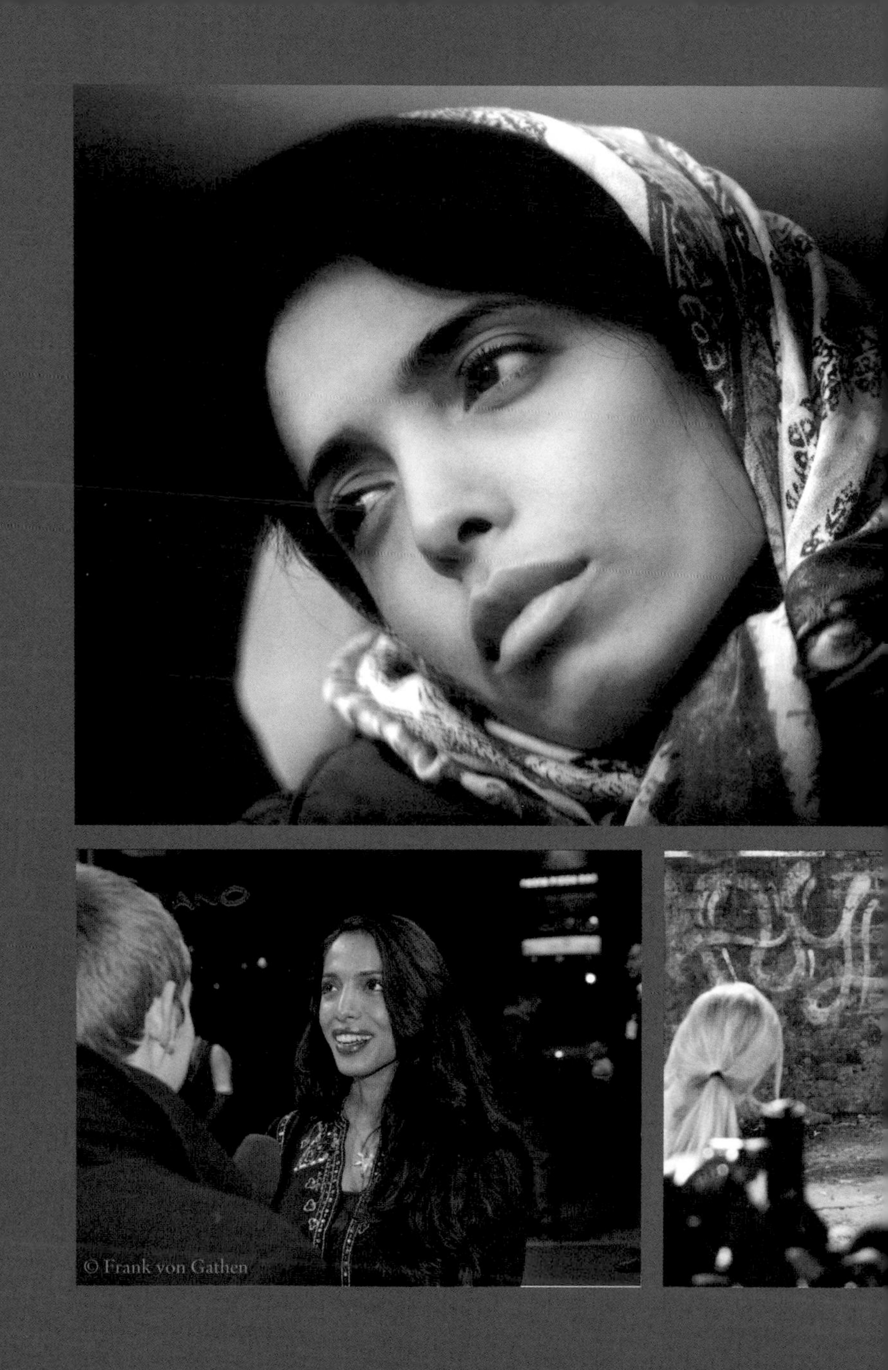

(Oben links) Eine tolle Fotoausstellung von Richard zum Thema »Flüchtlinge«.

(Unten links) Meine erste kleine Kinorolle. Auf dem Stuttgarter Filmfestival.

(Unten mitte) Backstage mit WDR-Team beim Shooting.

(Unten rechts) Ich liebe dieses Hochzeitskleid.

© Richard Kienberger

© Marion Stuckstätte

© Janosch Simo

© privat

(Oben) Indien 2013

(Unten) Arbeit mit Adrian und seinem Team in der Schweiz macht immer wieder Fun.

© Adrian Portmann

anderen Autos sitzen. Ich bekam Angst, denn die Autos hielten mehr und mehr Abstand zueinander. Was sollte ich tun, wenn wir jetzt angehalten wurden? Und wenn ich meine Familie nicht mehr wiedersah?

Die Fahrt über schwieg ich, während die anderen sich unterhielten, sogar darüber scherzten, was nun mit uns passieren würde, wo wir hingebracht würden. »Sicher in ein Arbeitslager«, sagte einer, und alle lachten.

Als wir nach einer langen Fahrt endlich vor einem großen, alten Gebäude hielten, das verlassen zwischen Sträuchern an einem Waldrand stand, erblickte ich Vater und lief erleichtert zu ihm. Patsch! Schon spürte ich seine Hand in meinem Gesicht. Er hatte mir eine Ohrfeige verpasst und dabei ziemlich weit ausgeholt. »Mach das nie wieder, hörst du? Ich bin fast umgekommen vor Sorge!« Ich glaube, Vater war auf dieser Reise um Jahre gealtert, so viele Sorgen hatte er sich schon um uns machen müssen. Ich verzieh ihm die Ohrfeige auf der Stelle und versprach, nie wieder alleine in ein Auto zu steigen.

Wir betraten das Gebäude und eine Halle tat sich auf. Hier würden wir also bleiben, bis sie uns holten und uns sicher über die Grenze brächten, so hofften wir. Hinter dem Haus verliefen Gleise, es musste sich um einen alten Bahnhof handeln. Durch das Dach tropfte Wasser oder lief in Rinnsalen die Wände herunter, die überall große Risse hatten. Der Boden war übersät mit Schutt, und wenn man redete, hallte es. Unheimlich, wie ein Geisterhaus, so erschien mir dieser alte Bahnhof.

Salim und ich liefen eine Treppe in den ersten Stock hinauf. Vorsichtig, denn auch die Treppe hatte Löcher, manchmal fehlten ganze Stufen. Hier mussten schon viele Flüchtlinge gewartet haben. In einer Nische stapelten sich leere Konservenbüchsen und gebrauchte Windeln. Salim und ich durchwühlten den Müll nach Essbarem, doch die Flüchtlinge hatten nichts Brauchbares zurückgelassen.

Im Erdgeschoss zogen wir uns in eine Ecke zurück. Wir waren zwölf, die jungen Afghanen mit dem Mädchen und wir. Wieder warteten wir, bis es dunkel wurde. Keiner kam. Wir würden hier übernachten müssen, das stand fest. Die jungen Afghanen schlugen vor, ein Feuer zu machen, eine ganze Nacht würden wir ohne Feuer nicht überstehen, sagten sie. Und durch die Feuchtigkeit kam einem die Halle noch kälter vor, als säßen wir ohne Schutz im Schnee. Doch Vater war gegen ein Feuer, denn der Schein hätte uns verraten können.

Irgendwann gab Vater auf. Die Kälte war zu mächtig geworden. Wir sammelten alles Holz und Papier, das wir in dem Gebäude finden konnten, und es dauerte eine ganze Weile, bis es anfing zu brennen, denn alles war mit dieser elenden Feuchtigkeit durchzogen. Ich hockte mich ganz nah ans Feuer, versuchte immer wieder den richtigen Abstand zu finden. Mein Gesicht begann zu glühen. Wenn ich dem Feuer zu nahe kam, konnte es höllisch heiß werden. Doch mein Rücken blieb der eisigen Luft in der Halle ausgesetzt. Irgendwann fand ich heraus, dass ich am besten alle fünf Minuten wechselte, einmal mit dem Gesicht zum Feuer und einmal mit dem Rücken. Mina war zu nah ans Feuer geraten, und ihre Schuhe – sie waren aus Plastik – fingen an zu brennen. Nachdem wir alle hektisch auf ihren Füßen herumgetrampelt waren, um die Flamme auszutreten, die eine grün-blaue Farbe hatte und fürchterlich stank, hatte Mina Löcher in den Schuhen, vorne bei den Zehen.

Drei Tage blieben wir an diesem nassen, unheimlichen Ort. Am nächsten Morgen, ich hatte mein Gesicht gerade mit Schnee gewaschen und auch ein wenig Schnee gegessen, kam einer der Schlepper. Mein Hals war geschwollen, und ich hatte Durst. Er brachte ein Stück Brot, das wir uns teilen sollten. Dann ging er wieder, und wir hörten nichts mehr von ihm. Am zweiten Tag verließen uns die Jungen und das iranische Mädchen; sie konnten nicht mehr länger warten und wollten es allein über die Grenze versuchen. Vater aber sagte: »Wir bleiben.« Zu acht würden wir Hilfe dringend brauchen. Tagsüber saßen wir auf dem Steinboden. Meine Glieder schmerzten, steif und ungelenk lief ich ein paarmal zu einer Art Schaufenster auf der anderen Seite der Halle, dessen Scheibe zerbrochen war und hinter der eine vergilbte Landkarte hing. Sie war mit fremden Buchstaben beschriftet. Ich versuchte sie zu entziffern, um herauszubekommen, wo wir waren, aber es gelang mir nicht.

Wann hörte dieses elendige Frieren, diese eisige Kälte nur auf? Wir hatten drei Nächte nicht geschlafen. Ich glaube, wegen der Müdigkeit kühlten unsere Körper schneller aus. Doch schlimmer noch war der Hunger. Mein Bauch fühlte sich so leer an, dass mir übel war – zu knurren hatte er längst aufgehört. Ich versuchte mir vorzustellen, wie ich in ein saftiges Kebab biss, mit einer würzigen Soße auf warmem Brot. Versuchte meinen Körper auszutricksen, in dem ich ihm vormachte, ich würde essen. Ich tat sogar so, als ob ich kaute. Und ich bildete mir ein, dass das ein wenig half.

Am dritten Abend wurde auch Vater klar, dass sie uns wirklich vergessen, der Kälte und dem Hunger einfach überlassen hatten. Vor allem wegen Mina, die so dürr geworden war, dass sie aussah wie der Tod, beendete er endlich die Warterei. Noch eine Nacht könnte gefährlich werden, das wusste nicht nur Vater. Wir nahmen unsere wenigen Sachen und liefen in die Dunkelheit.

Diesmal hatten wir nicht das Glück, ein Dorf in der Nähe zu finden. Stunde um Stunde marschierten wir die Straße entlang. Uns war es egal geworden, ob die Polizei uns fand. Ich glaube, Vater überlegte sogar, bei der Polizei anzurufen, damit wir etwas zu essen bekämen. Doch es gab nirgends ein Telefon.

Erst in den frühen Morgenstunden kamen wir in ein Dorf, klingelten gleich an der ersten Haustür, doch keiner öffnete. Und auch die zweite und dritte Tür öffnete sich nicht für uns, obwohl ich gesehen hatte, dass sich hinter den Scheiben Gardinen bewegten. Ich glaube, die Menschen, die dort lebten, dachten, wir wären Herumtreiber. Und so sahen wir ja auch aus: Kreaturen mit kleinen Augen, die in dunklen Höhlen lagen, abgemagert und in zerlumpten Kleidern.

Vater war verzweifelt. Es hatte auf der Flucht viele fast ausweglose Situationen gegeben, aber keinen Moment, in dem ich ihn so hilflos erlebte. Er rannte wieder zur Landstraße zurück, die etwas oberhalb des Dorfes lag und in das nächstgelegene Dorf zu führen schien. Dort wartete er, und als der erste Lastwagen auf ihn zufuhr, versuchte er ihn durch Handzeichen aufzuhalten. Doch er bretterte an ihm vorbei. Auch der nächste und übernächste. Immer wieder riss er die Hände hoch, rief: »Stopp!«

Dann, beim nächsten, einem mit riesigen Reifen, führte er die Hand zum Mund, als Zeichen, dass wir auf der Suche nach Nahrung waren. Und tatsächlich, der Fahrer sah uns, reagierte schnell, schaltete das Warnblinklicht ein und kam mit einem lauten Zischen ein paar Meter weiter zum Stehen.

Der Mann war ein Ungar. Er hatte Brote mit, die er uns aus dem Fahrerhäuschen holte und Vater überreichte. Ich konnte nicht abwarten, bis Vater sie teilte, wollte ihm eines aus der Hand reißen, konnte mich einfach nicht mehr zurückhalten. Doch Vater verteidigte die Brote, hielt sie in die Höhe und verteilte sie dann gerecht an die beiden Kleinen, Salim und mich. Wie Tiere fielen wir darüber her. Und als der Fahrer bemerkte, wie hungrig wir waren, wie elend wir aussahen, gab er über Funk einen Hilferuf durch und nach einer kurzen Weile hielten an der Straße fünf weitere Lastwagen, die alle Brot mitbrachten. Meine Stiefmutter begann zu weinen. Nur kurz zögerte sie bei der Wurst. Ich wusste, was sie dachte: Natürlich war es Schwein. Aber es gibt Momente, in denen verzeiht Allah vieles, und dies war so ein Moment, da war ich mir sicher. Nur Vater hielt sich an das Verbot. Er nahm die Wurst vom Brot und schenkte sie Nazima und Ali.

Wir liefen die Straße weiter; einer der Fahrer hatte gesagt, im nächsten Dorf gäbe es einen Bahnhof. Doch wir kamen nicht weit. Am Ortseingang warteten schon die Polizisten. Sicher hatte ihnen irgendjemand aus dem Dorf mit den verschlossenen Türen Bescheid gesagt. Die Polizisten schienen nicht überrascht zu sein, uns so früh am Morgen und in diesem Zustand dort anzutreffen. Vielleicht, weil es öfter in dieser Gegend vorkam, dass Flüchtlinge unterwegs waren. Sie schienen jedenfalls sehr routiniert. Wir wurden zu einer Polizeistation gebracht. Dort vernahmen sie nur meinen Vater, ein Dolmetscher half. Vater log ihnen vor, wir seien Touristen und hätten uns verlaufen. Doch die Polizei wusste schon, woher wir kamen. Sie gaben uns Geld für Tickets nach Prag und weiter in das Lager – und schickten uns zum Bahnhof. Einfach so. Wir konnten noch gar nicht recht glauben, dass wir so schnell freigekommen waren, da stiegen wir schon wieder aus dem Zug. Vater ging in die Telefonzelle am Prager Hauptbahnhof und nahm den Hörer in die Hand. Doch diesmal sprach er nicht. Er brüllte, das konnte ich durch die Scheiben hören. Und dann wurde er ganz ruhig.

»Er ist tot«, sagte Vater mit ernstem Gesicht, als er zurückkam. »Der Boss ist tot.«

Vater berichtete, jemand hätte den Chef unserer Schlepper ermordet. Der Schütze hatte hinter dem Sofa gewartet, und als der Boss, ein Afghane, zur Tür hereinkam, schoss der Mörder ihm dreimal in den Kopf.

Der Afghanen-Boss hatte in der Nähe von Prag eine Villa. Es hieß, er habe viele Feinde gehabt. Ein russischer Konkurrent habe den Auftrag für den Mord gegeben. Bosse duldeten nun mal keine anderen Bosse neben sich. Und kommen sie sich in die Quere, dann muss irgendwann einer dran glauben. Der Afghane war jedenfalls tot, und deshalb hatten die Schlepper uns vergessen.

Auf keinen Fall hätten wir noch eine Nacht im Freien durchgehalten, und so brachten uns zwei große Mercedes, schwarz und mit glänzenden Scheiben, durch die man nicht hineinsehen konnte, zur Villa des toten Bosses. Das hatte Vater bei dem Bruder des Toten durchgesetzt. Er würde von nun an die Geschäfte übernehmen, hatte er Vater versprochen. Eine Frau öffnete uns die Tür, sie hatte geschwollene, rote Augen. Sie hatte geweint.

Der Bruder des Bosses war ein ruhiger Mann, trug einen Seitenscheitel und einen Bartansatz. Er war nicht sehr groß, eher schmächtig. Ich hatte mir einen Schlepperboss anders vorgestellt. Aber er hatte ein nettes, offenes Gesicht. Vater sprach ihm sein Beileid aus. Und der Mann von Mina tat es ihm nach. Wir Frauen wurden in ein Zimmer geführt, in dem andere Frauen saßen. Ich glaube, dass auch Flüchtlingsfrauen darunter waren. Das Zimmer war warm und wirkte gemütlich, ein großer bunter Teppich und darauf viele Toshaks, auf die ich mich fallen ließ, dankbar, endlich ruhen zu können. Ich schlief im Sitzen ein.

Später, ich war gerade aufgewacht, bekamen wir etwas zu essen. Die Männer, das konnte ich durch den Türspalt beobachten, hatten sich in dem Raum nebenan versammelt, darunter auch Vater und der Mann von Mina. Es gab auch dort zu essen und zu trinken. Und einige Männer standen auf und hielten eine Ansprache. Auch Vater sagte etwas. Seine rechte Hand ruhte dabei auf seinem Herzen. Afghanen bedienen sich bei solchen Ansprachen, ob bei Hochzeiten oder Todesfällen, immer einer besonderen Sprache. Ich fand, Vater konnte das besonders gut. Und als ich ihn beobachtete, war ich ein bisschen stolz auf ihn.

Mehrere Tage blieben wir in diesem Haus. Wenn Menschen starben, schien die Zeit plötzlich still zu stehen. Das Sonnenlicht wirkt dann trüb, kraftloser als sonst. Es war, als hätte sich ein schwerer, grauer Dunst um das große Haus gelegt. Ein Trauerhaus. Ich fühlte mich unwohl, obwohl wir genug zu essen bekamen und sogar auf den Toshaks schlafen durften.

Vor allem aber beschäftigte uns die Frage, was nun aus uns werden sollte. Vater hatte dem toten Boss unser ganzes Geld gegeben. Würde sein Bruder halten, was der Afghane uns vor seinem Tod versprochen hatte? Und wenn ja, konnte er das überhaupt? Die Frauen erzählten sich, dass der Bruder zuvor ein ganz normaler Geschäftsmann gewesen sei. Wir hatten es jetzt also mit einem Schlepperboss zu tun, der keinerlei Erfahrung besaß.

Am zweiten Tag nahm Vater den neuen Boss zur Seite und redete auf ihn ein. Wir müssten fort von hier, und das möglichst bald. Der neue Boss war ehrlich und hatte nicht vor, uns im Stich zu lassen. Er sagte aufrichtig, er bräuchte einen Moment, um alles neu zu organisieren. Und ein paar Tage später erklärte er uns seinen Plan.

»Es gibt einen Fahrer«, sagte Vater mit ausdrucksloser Miene, als er aus dem Zimmer des neuen Bosses kam. Der schmuggle äußerst selten Ware, aber wenn er es tue, käme diese sicher an. Ich war sofort begeistert, denn das hieß, wir müssten nicht mehr durch den Schnee marschieren. Doch Vater schien ganz und gar nicht erleichtert zu sein. Ohne von meiner Freude Notiz zu nehmen, redete er weiter, mit gesenktem Kopf, und brummte dabei mehr in seinen Bart, als dass er mit uns sprach. Einen Weg, der sicherer war als dieser, gebe es nicht, erklärte er. Aber dann sagte er leise: »Der Fahrer nimmt allerdings keine kleinen Kinder mit.« Erst jetzt blickte Vater auf, und uns blieb der Mund offen stehen. Niemals würden wir Nazima und Ali zurücklassen. Mina schüttelte nur wild mit dem Kopf. »Auf keinen Fall!«, schrie sie. Vater blieb ruhig und sagte: »Hört erst einmal zu.« Der Plan sah folgendermaßen aus: Nur drei Personen passten in den LKW. Also müssten wir uns aufteilen. Der Vorteil sei, so sagte Vater, dass drei Personen mit großer Wahrscheinlichkeit in Deutschland ankamen. Und fünf Personen seien einfacher durch den Wald zu bringen als acht.

Ich konnte es immer noch nicht glauben. Das, was wir in jedem Fall vermeiden wollten, die ganze lange Flucht über, sollten wir nun einfach tun. Uns trennen. Und Vater musste nun entscheiden, wer mit dem Lastwagen und damit sicherer fuhr.

Meine Stiefmutter hatte seit der Zeit in dem alten Bahnhof Probleme mit dem Herzen; seither hatte sie ein ständiges Stechen unter der linken Rippe begleitet. Und Mina hätte niemals zugelassen, dass die Kinder ohne ihre Mutter blieben. Es stellte sich eigentlich nur die Frage, wer zusammen mit meiner Stiefmutter die Grenze im Auto passieren würde.

Ich sprach etwas Englisch und könnte meiner Stiefmutter in Deutschland helfen, wenn irgendetwas schiefginge. Und Salim war ein Junge, er konnte die Kleinen durch den Schnee tragen. Denn Mina war immer noch sehr schwach. Alle redeten auf Vater ein, dass er mit in den Lastwagen steigen sollte, denn er könnte seine Söhne in Deutschland über die Ankunft der anderen informieren. Schließlich willigte er ein.

Ich bekam nach unserer Trennung das Bild nicht mehr aus dem Kopf. Es bereitete mir Schmerzen in der Brust und im Bauch, jedes Mal, wenn ich mir vorstellte, wie Salim an meiner Stelle durch das Eis stapfte. Auch wenn er fast drei Jahre älter ist, bin ich bis heute die »große« Schwester, die ihn beschützen muss, wenn er in Not geraten sollte.

Salim war noch sehr klein gewesen, vielleicht zwei Jahre alt und ich noch nicht geboren, als er im Hof die Steintreppe hinabfiel und sich am Kopf verletzte. Es hatte nur ein wenig geblutet. Und keiner hatte bemerkt, dass das

Blut in einer Ader in seinem Kopf geronnen, und diese dann einfach vertrocknet war. Salim entwickelte sich langsamer als andere Kinder, lernte schwer und verstand nicht immer, was meine Eltern von ihm wollten. Später, in Deutschland, habe ich ihn oft vor den anderen Kindern in Schutz nehmen müssen. Die verstanden nicht, dass er anders ist, langsamer, denn man sieht es Salim nicht an. Aber mein Bruder ist ein freundlicher Kerl, immer gut gelaunt und liebenswürdig. Mich hatte es nie gestört, dass er anders war, langsamer. Ich liebte ihn so, wie er war. Und ich liebe ihn, so wie er heute ist.

Der Tag kam, an dem wir uns von Mina, ihrem Mann, Nazima, Ali und Salim verabschiedeten. Für sie sollte es vier Tage später losgehen. In Deutschland würden wir uns bei meinem Bruder in Berlin wieder treffen. Das hatten wir so ausgemacht. Mir war zum Weinen zu Mute, aber ich konnte nicht. Ich war zu nervös, als dass ich meinen Gefühlen hätte freien Lauf lassen können. Der Schlepperboss brachte uns persönlich zu dem Treffpunkt, an dem der Lastwagenfahrer auf uns wartete, und wechselte noch einige Dollar in D-Mark. Dann sollte es losgehen.

Meine Stiefmutter musste sich in den Lastwagen auf die Koje legen, die hinter den Sitzen mit Scharnieren an der Rückwand der Fahrerkabine befestigt war. Der Fahrer schnallte sie darauf fest und klappte das Bett mit meiner Mutter darauf gegen die Wand, sodass mein Vater und ich uns darunter auf den Boden setzen konnten. Ich fragte meine Stiefmutter während der Fahrt immer wieder, ob es ihr gut gehe. Und ich war sehr erleichtert, wenn ein dumpfes »Ja« als Antwort kam.

Durch einen kleinen Spalt im Vorhang konnte ich durch das Seitenfenster lugen. Landschaft rauschte an mir vorbei, Wiesen, Dörfer, Wälder. Dort irgendwo mussten Salim und die anderen ihren Weg nach Deutschland finden. Ich versuchte, ein Zeichen zu entdecken. Irgendetwas, das darauf hinwies, dass wir schon in Deutschland, in »beautiful Germany«, waren. Und plötzlich, nur einen Lidschlag lang sah ich ihn: den Adler. Ich rüttelte Vater wach, der neben mir eingedöst war. »Ich habe ihn gesehen, ich habe ihn gesehen!«, rief ich. »Den Adler mit den ausgebreiteten Flügeln.« Afghanen, die für Deutschland schwärmten, kannten den deutschen Adler. Er ziert so manche deutsche Fahne. Eine meiner Cousinen, die in Deutschland eine Schneiderei betreibt, hat ihren Namen nach ihm benannt: »Schneiderei Adler«. Er war so, wie ich ihn auf einer Zeichnung gesehen hatte, die mein Hauslehrer einmal mitgebracht hatte. Und so ähnlich wie der, den ich aus dem Fernsehen kannte, aus einer Serie namens »Kommissar Rex«. »Vater, wir sind da!«

Jetzt war da nur noch der Dreck, der an uns klebte. Und der Schweiß von all den Märschen und der Angst, der alle Kleiderschichten durchzog. Hastig zog ich meine dunkle Hose aus und stopfte sie in eine Plastiktüte, die Vater bereithielt und in die auch er seine alte Kleidung entsorgt hatte. Und als wir anhielten und meine Mutter aus ihrer Enge befreit wurde, zog ich mir das Kopftuch vom Haar. Vater protestierte, aber ich sagte: »Sonst fallen wir doch auf.« Worauf er nichts erwiderte.

Der Lastwagenfahrer setzte uns bei einer Raststätte ab. Der Schlepper hatte uns zwar befohlen, uns nicht von ihm zu versabschieden, sondern möglichst unauffällig zu verschwinden. Aber Vater konnte es nicht lassen und schüttelte ihm vor Dankbarkeit so lange die Hand, bis ich ihn von dem LKW-Fahrer wegzog.

Meine Stiefmutter konnte ich nicht überreden, das Kopftuch abzunehmen. Ich sagte: »Wenn du es jetzt aufbehältst, wirst du es immer aufbehalten.« Sie schob ihr Tuch ein wenig nach hinten, sodass ihr einige Locken ins Gesicht fielen. Ich glaube, sie schämte sich. Und als ich ins Freie trat, hatte sogar ich ein wenig das Gefühl, nackt zu sein.

TEIL 2

KAPITEL 1

Vier Jahre war es jetzt her, dass wir durch den Schnee nach Deutschland gekommen waren. Ein Jahr war es her, dass ich noch einmal geflüchtet war, dass ich weglief vor meiner Familie. Dass ich die Menschen im Stich ließ, die ich liebe. Und denjenigen verletzte, der mich auf dem Weg von Kabul nach Deutschland beschützt hatte, mit all seiner Kraft: meinen Vater, der immer zu mir gehalten hatte und der mich liebte. Immer wieder musste ich in diesem Jahr an Minas Worte denken: »Sie wird deinen Bart auf den Boden ziehen.« Nun hatte ich seine Ehre beschmutzt. »Pass bloß auf!«, hatte meine Schwester ihn gewarnt. Sie hatte recht behalten.

Und jetzt, an diesem Montag im März 2004, war ich nach Kassel zurückgekehrt, um meinen Vater zu treffen. Ich stand vor dem alten Tresen an der Wand und hielt noch eine Weile den Hörer in der Hand. Seine Stimme hatte so warm geklungen. Wie hatte ich mich nach ihr gesehnt! Vielleicht würde doch wieder alles gut werden, dachte ich. Vielleicht könnte er mir irgendwann einmal verzeihen. Er hatte mir eben zugesagt; mein Vater wollte mich sehen.

Ich sah mich um. Nichts hatte sich verändert. Die Holztische vor dem Tresen warteten wie immer darauf, mit weißen Tüchern bedeckt zu werden. Aus der Küche dampfte Erbseneintopf und mischte sich mit dem Geruch von schalem Bier. Hier hatte ich mein erstes Geld verdient, nebenbei, als ich noch zur Schule ging. Mein Vater war damals strikt dagegen, dass ich arbeitete, dazu auch noch in einem Gasthof. Doch als er wusste, dass das Lokal »Zum alten Rathaus« einem Muslim gehörte, war er versöhnter. Der Inhaber war Tunesier und hieß Adel. Eigentlich sollte ich nur bei der Eröffnung aushelfen, doch daraus wurden eineinhalb Jahre. Teller waschen, Tische abräumen, später sogar an den Tischen servieren. Bis zu dem Morgen, an dem ich davonlief.

Ich kann mich noch genau daran erinnern, als Adel mir das erste Geld ausgezahlt hatte. Er gab mir die Scheine, es waren 40 Euro, einfach in die Hand. Und ich lief damit nach Hause, behielt sie in der Faust, als könnten sie verloren gehen, wenn ich sie in einfach die Tasche steckte und ich sie nicht mehr spürte. Es war mein erstes selbst verdientes Geld.

Ich habe mir davon eine Jeans gekauft, mit pinkfarbenen Nähten, das fand ich schick. Und Salim bekam von mir eine Bomberjacke geschenkt, wie sie damals modern waren. Endlich lief ich durch die Geschäfte, mit dem Gefühl, ich gehörte dazu. Zu all den Menschen, Kaufende, die begutachteten, prüften, anprobierten oder ausprobierten, die Dinge für gut befanden und sich dann in die Schlange stellten, um das Kleid, die Hose, eine Seife oder eine Creme zu bezahlen. Damit sie ihnen gehörte.

Vater gefiel nicht, dass ich begann, mich für mein Äußeres zu interessieren. Mich anders zu kleiden. Eine eng anliegende Hose, ein T-Shirt mit Ausschnitt. Zu westlich, fand er. Aber ich glaube, es gefiel ihm noch weniger, dass er es nicht war, der mir das ermöglichte.

Einmal auf dem Nachhauseweg, als ich gerade von der Schule kam, lief ich durch eines der Geschäfte in der Kasseler Einkaufszone: H&M. In diesem Geschäft konnte man schöne Kleider kaufen – modern und zu einem für mich erschwinglichen Preis. Ich lief um die Kleiderständer herum, fasste die Stoffe an. So viele Farben!

Plötzlich tippte mir jemand auf die Schulter; ich drehte mich um und vor mir stand ein Mädchen, nicht viel älter als ich. Sie fragte, ob ich modele. Ich verstand nicht, was sie meinte. Doch sie blieb hartnäckig. Sie sagte, sie sei die ehemalige Miss Hessen. Und sie sagte, ich sei schön. Und ich könnte damit Geld verdienen.

Nie hatte ich gedacht, dass ich schön sei. Ich war zu groß, hatte eine zu kleine Nase, zu volle Lippen für eine Afghanin. Früher, in Kabul, hatte mir meine Mutter immer Wäscheklammern auf die Nase gesetzt, bevor ich schlafen gegangen war. Damit die Nase länger würde. Und meine Brüder machten immer dumme Bemerkungen wegen meiner dürren Beine.

Ich sähe wirklich gut aus, sagte sie noch einmal und drückte mir dann eine Visitenkarte in die Hand, mit der Telefonnummer eines Fotografen. Er würde Fotos von mir machen. Mit denen könnte ich mich bei einer Agentur bewerben, für Modenschauen oder Fotos für Magazine.

Aufgeregt lief ich nach Hause und zeigte die Karte meinem Vater, erzählte, was das Mädchen gesagt hatte. Doch Vaters Miene blieb wie versteinert. »Auf keinen Fall«, sagte er. »Ein afghanisches Mädchen lässt sich nicht fotografieren.«

Er hätte es nie erlaubt, wie er so vieles nicht erlaubt hatte, seitdem wir in Deutschland waren. Dieses Deutschland, Germany. Für ihn und damit für uns alle war es Afghanistan geblieben. Vater hatte sich nicht eingewöhnen können. Die ganzen Jahre über nicht. In den ersten Wochen hatte sich eine matte Ausdruckslosigkeit über sein schönes Gesicht gelegt, das früher einmal so lebendig gewesen war. Vaters Augen hatten geleuchtet, und wenn er gut gelaunt war, dann zog er Grimassen, zur Freude von uns Kindern.

In Deutschland fand er nicht mehr in sein altes Ich zurück. Er hatte dieser Fremde einfach nichts entgegenzusetzen. Gegenüber den Menschen, die er nicht verstand, blieb er hilflos und ohne Worte. Ein Asylverfahren ist kompliziert; meine Brüder übernahmen das für ihn. Und so galt für meinen Vater weiterhin: warten, schweigen, hoffen. Er war ein Nicht-Entscheider geblieben. Meistens lag er auf dem Bett oder saß am Fenster, starrte gegen die Wände. Nichts zu tun zu haben, nicht arbeiten zu dürfen, kein Geld zu verdienen, das empfand er als eine Entwürdigung. Für einen Afghanen ist es schwer zu akzeptieren, dass er seine Familie nicht ernähren kann.

Am Ende verdiente sogar ich – die Jüngste in der Familie und dazu auch noch ein Mädchen – mein eigenes Geld. Wie sehr musste er sich nach unserem Leben in Kabul sehnen. Dieses Land, Afghanistan! Vergessen waren der Krieg, die Bomben, die Not und die Taliban. Jetzt hieß es: Ein afghanisches Mädchen tut dies nicht. Ein afghanisches Mädchen tut jenes nicht. Immer strenger verfolgte er meine Schritte. Strenger, als er es je in Kabul getan hätte. Wenigstens mit seiner Strenge konnte er noch zeigen, wer hier das Sagen hatte.

Ich glaube, schon in dem Moment, als wir die deutsche Grenze passiert hatten und der Lastwagenfahrer uns auf der Raststätte zurückließ, hatte er aufgehört zu kämpfen und ergab sich der Situation. Denn auf diesem Rastplatz war ich diejenige gewesen, die es nun organisierte, dass man uns abholte. Er ließ es einfach geschehen. Ich hatte das übernommen, was sonst mein Vater immer tat.

Der neue Schlepperboss hatte meinen Bruder nicht informiert, dass wir kommen würden, obwohl er es versprochen hatte. Wahrscheinlich wollte er Komplikationen vermeiden. Je weniger Leute wussten, dass wir über die Grenze gingen, desto besser. Je weniger von uns sich auf dem Rastplatz tummelten, desto unauffälliger.

Mein Vater und meine Stiefmutter versteckten sich in der Nähe der Tankstelle, dort wo die LKW hielten, hinter einem Busch. Sie schickten mich mit einem 10-DM-Schein los. Ich hielt das erste Mal europäisches Geld in den Händen und kaufte an der Tankstelle ein Brötchen, von dem ich dachte, es wäre ein Stück Kuchen. Kein Wunder, dass ich ein wenig enttäuscht war, als ich hineinbiss.

Mit dem Wechselgeld ging ich zu der Telefonzelle am Eingang der Raststätte und wählte die Nummer meines Bruders. Er war so erstaunt, dass er zunächst kein Wort herausbrachte. Er konnte es nicht glauben, dass wir es geschafft hatten. Seine Stimme überschlug sich sogar ein paarmal vor Freude. Gemeinsam versuchten wir herauszufinden, wo wir waren. Ich entzifferte die Neon-Schrift, die auf dem Dach der Raststätte leuchtete, und dazu die riesigen blauen Autobahn-Schilder, die ich von der Telefonzelle aus sehen konnte. Jeden Buchstaben gab ich meinem Bruder in Englisch an, und er setzte sie dann zu Ortsnamen zusammen.

Wir seien zu weit entfernt von Berlin, wo er lebte, stellte Ramin fest. Und so holte uns einer meiner Cousins ab, der in Wiesbaden lebte und dort eine richtige Pizzeria betrieb, in der auch mein zweitältester Bruder Sayed arbeitete. Ramin würde dann aus Berlin nach Wiesbaden kommen, um uns abzuholen, so machten wir es aus.

Als ich von der Telefonzelle zurückkam, sagte ich meinem Vater und meiner Stiefmutter, was nun zu tun war. Ramin hatte vorgeschlagen, dass wir in der Raststätte warteten, einen Kaffee bestellten, dort drinnen wäre es wärmer. Und wenn mein Cousin käme, um uns abzuholen, sollten wir uns auf keinen Fall freuen. Jedenfalls nicht so, dass man es sehen könnte. Denn wir sollten nicht auffallen. Wir sollten so tun, als wären wir gemeinsam unterwegs und machten nur eine Pause.

Meine Stiefmutter und mein Vater saßen verschüchtert in der letzten Tischreihe. Ich brachte ihnen zwei Kaffee, die sie nicht herunterbekamen. Meine Stiefmutter rümpfte die Nase. Sie sagte, so etwas Bitteres hätte sie noch nie in ihrem Leben getrunken. Doch ich blieb streng, befahl, dass sie zumindest so tun sollten, als würde der Kaffee ihnen schmecken. Sonst fielen wir noch auf, denn in Deutschland, das hatte meine Tante aus Frankfurt erzählt, trank schließlich fast jeder Kaffee.

Ich kann mich noch sehr gut daran erinnern, wie mein Cousin die Raststätte betrat. Nur einmal, er stand noch in der Tür und seine Augen suchten nach uns, da huschte ein Lachen über sein Gesicht, als er uns entdeckte. Er begrüßte uns mit Handschlag, tat unbeteiligt. Erst als wir in sein Auto stiegen, breitete Vater seine Arme aus und sagte. »Komm her, mein Junge, jetzt lass dich endlich begrüßen.« Ich glaube es war meinem Vater sehr schwergefallen, in der Raststätte nicht zu zeigen, wie sehr er sich freute. Und auch ich war lange nicht mehr so glücklich gewesen.

Die ganze Fahrt über starrte ich aus dem Fenster.

Deutschland, Germany, wir waren da. Nichts wollte ich verpassen, jede Kleinigkeit schien mir wichtig. So viele moderne Autos, einige waren sogar silberfarben. Ich versuchte zu sehen, was die Leute in den Autos taten, was sie trugen. So viele Frauen saßen am Steuer, und manche waren ganz allein im Wagen.

Und wie sauber alles war, wie aufgeräumt selbst die Landschaft war. Mir kam es beinahe leer vor, dieses Deutschland, wie verlassen. So still war es auf den Straßen. Keiner hupte. In Kabul hatte eigentlich jeder immer gehupt, sobald er in einem Auto saß.

Endlich angekommen gingen wir durch die Hintertür in das Restaurant meines Cousins. Es war klein, viel kleiner als der Essensraum in dem tschechischen Lager. Aber das Lokal wirkte gemütlich, auf den Tischen lagen rot und weiß karierte Tischdecken, und es duftete nach frisch gebackenem Brot und warmem Käse. Mein Cousin führte uns an den Tischen vorbei durch eine weitere Tür, einen schmalen Flur entlang und schließlich eine steile Treppe hinauf ins Obergeschoss. »Hier wohnt dein Bruder Sayed«, sagte mein Cousin und klopfte mir auf die Schulter. Ich sah mich um. Ein Bett, ein Fernseher, ein runder Teppich und ein Regal, auf dem DVDs gestapelt waren. Ich nahm eine in die Hand, auf der ein Boxer zu sehen war, mit vielen Muskeln, die glänzten, als schwitzte er. Ein fürchterlich geschwollenes Gesicht schaute mich grimmig an. Die roten, ballonartigen Handschuhe hielt er kampfbereit vor seiner Brust. Ich beschloss, dass ich Sayeds DVDs nicht mochte. Aber das Zimmer mochte ich. Hier schlief also mein zweitältester Bruder, das war sein Zuhause. »Ich werde ihn holen«, sagte mein Cousin und verschwand.

Sayed war ein richtiger Mann geworden. Fast vier Jahre

hatte ich ihn nicht gesehen. Damals war er gerade achtzehn gewesen, als er sich verabschiedet hatte, zur Tür hinausging und sich noch einmal umblickte. Er sah damals so traurig aus. Aber mir blinzelte er zu, als wollte er sagen: »Es wird mir schon nichts passieren.« Und jetzt stand er vor mir, ein erwachsener Mann. Größer kam er mir vor, er hatte breite Schultern, trug die Haare länger, vorne zu einer Tolle frisiert. Er hatte eine Schürze umgebunden.

Früher war Sayed der lustigste Bruder gewesen, den ich mir vorstellen konnte. Immer und überall hatte er seine Späße gemacht, weshalb er auch von uns allen die meisten Stockhiebe zu spüren bekommen hatte. Aber die machten ihm weniger aus als uns. Er war einfach von Natur aus fröhlich, unbeschwert. Ich glaubte, er war auf die Welt gekommen, um sie ordentlich durcheinanderzuwirbeln. Damit andere ihren Spaß hatten und lachen mussten, was in Kabul etwas sehr Kostbares war.

So still und nachdenklich wie jetzt hatte ich ihn nie erlebt. Das war nicht der Sayed, den ich kannte. Wir begrüßten uns so vorsichtig, als könnte man durch eine falsche Bewegung, ein falsches Wort oder eine falsche Nähe etwas kaputtmachen. Nur Vater ließ sich nicht irritieren, zerquetschte ihn beinahe mit seiner Umarmung, packte ihn an den Schultern. »Wie gut du aussiehst«, sagte Vater und rüttelte Sayeds Körper kräftig durch.

Mein Cousin kam mit drei runden dampfenden Broten. Darauf lagen Gemüse, Oliven und geschmolzener Käse. Ich hatte ganz vergessen, wie groß mein Hunger war. Der Anblick der flachen Brote ließ mich den stillen Sayed für einen kurzen Moment vergessen. Wir aßen mit den Fingern, und es schmeckte mir so gut, dass ich überhaupt nicht aufhören wollte, alles in mich hineinzustopfen.

Meine erste europäische Pizza, dachte ich. Ich hatte tatsächlich meine erste richtige Pizza gegessen.

Nach einer Weile, als wir satt und müde auf Sayeds Bett Platz genommen hatten, stand plötzlich auch Ramin in der Tür. Die Begrüßung war warm, obwohl wir ihn am längsten von allen nicht gesehen hatten. Zehn Jahre war es her, dass er als Erster aus unserer Familie in den Westen geflüchtet war. Doch diese lange Zeit schien nicht zwischen uns zu stehen. Ich wollte ihn nicht mehr aus meiner Umarmung lassen, als könnte es passieren, dass er sonst einfach wieder verschwand. Meine Stiefmutter weinte sogar ein bisschen, und Ramin bemühte sich, sie zu beruhigen, wischte mit seinem Hemdsärmel ihre Tränen fort und sagte leise: »Ich bin doch da, ich bin doch jetzt da.« Der verlorene Sohn. In Afghanistan war der erste, der älteste Sohn etwas ganz Besonderes.

Ohne zu schlafen oder uns zu waschen – wir müssen wirklich gestunken haben –, stiegen wir in das Auto. Ramin wollte keine Zeit verlieren und uns seiner Familie vorstellen. Vater umarmte Sayed noch zum Abschied, drückte ihn an sich, sagte: »Wir werden uns ganz bald wiedersehen.« Und meine Stiefmutter streichelte ihm den Rücken. »Pass auf dich auf, mein Sohn.« Ramin rief: »Los jetzt!« Und dann fuhren wir auch schon.

Ramin drehte die Musik auf, es war afghanische Popmusik, nicht Michael Jackson, von dem mein Onkel Mohammed erzählt hatte, er sei der berühmteste Sänger der Welt. Ich wunderte mich, dass Ramin immer noch unsere Musik hörte. Doch ich genoss diese vertrauten Klänge, die nun das Auto füllten. So kam mir dieses Deutschland nicht so fremd vor, wenn ich aus dem Fenster sah. Ramin wohnte im Westen von Berlin. Darauf schien er besonders stolz zu sein. Und darauf, dass er in einem Stadtteil lebte, in dem nicht so viele Ausländer lebten, sondern etwas außerhalb, bei den Deutschen, das war ihm wichtig. Er sagte: »Es wird euch gefallen.«

Wir müssen viele Stunden gefahren sein, bis wir in Berlin ankamen. Ich war eingeschlafen und wachte auf, als wir in die Straße einbogen, in der Ramin wohnte. Das Haus, in dem Ramin lebte, war alt, aber es wirkte dennoch nicht heruntergekommen. Auf der Treppe lag roter Teppich, der ganz hart war, die Fenster waren hoch und die Türen so groß, als wenn dort nur riesige Menschen lebten.

Ramins Frau öffnete uns die Tür. Ich kannte sie von Bildern: blond, blaue Augen. Sie ist eine Deutsche und heißt Corinna. Sie trug ein Kleid mit einem bunten Blumenmuster. Ich fand Corinna unglaublich schön und mochte sie sofort. Sie hatte für uns afghanisch gekocht, das hatte sie Ramin zuliebe gelernt, und sie konnte richtig gut kochen, wie meine Stiefmutter feststellte. Die beiden Kleinen, Rafas Kinder, hatten ebenfalls blondes Haar, die Honigaugen aber hatten sie von ihm. Sie blieben noch bis nach dem Abendessen wach. Sie waren furchtbar aufgeregt, dass wir da waren. Und Corinna hatte alle Mühe, sie ins Bett zu bekommen.

Nach dem Essen schickte uns Corinna einen nach dem anderen ins Bad. Ich durfte als Erste gehen. All den Dreck der langen Fahrt schrubbte ich von mir ab. Ganz Kabul, Moskau, den Gestank in Yussufs Wohnung, den Matsch, die Kälte. Ich schrubbte und schrubbte. Es war wunderbar, das Wasser duftete und schäumte. Corinna hatte mir eine Lotion gegeben, die ich nach dem Schamponieren auf meine Haare auftragen sollte. Sie waren danach so weich, dass ich mit den Kamm durch das nasse Haar fahren konnte, ohne dass es ziepte. In Kabul war das immer ein Kampf gewesen, es hatte richtig wehgetan. Und jetzt duftete das Haar auch noch nach Vanille. Wir waren endlich im Westen.

Und dann dachte ich an Salim, Mina, die Kinder und ihren Mann, die noch in der Kälte waren. Ich schämte mich, dass ich mich wohlfühlte. Wie mochte es ihnen gerade ergehen? In dieser Nacht schlief ich so fest, dass ich noch nicht mal träumte.

Am nächsten Morgen nahm mich Ramin mit zum Supermarkt, mich ganz allein. Unter der Woche arbeitete er in einem Hotel als Leiter der Reinigungsabteilung. Deshalb ging Ramin immer nur samstags einkaufen und musste mit dem Auto fahren, so viel kaufte er dann ein.

Es war mein erster Besuch in einem Aldi-Laden, und es gab dort wunderbare Dinge zu kaufen. Gummibärchen, Schokolade, das ganze Regal war voller Süßigkeiten. »Nimm, was du möchtest«, sagte Ramin in feierlichem Ton, was dazu führte, dass wir eine ganze Weile in dem Laden blieben. Und Ramin und ich mussten laut lachen, als wir endlich an der Kasse standen und das lange Fließband nur mit unseren Sachen beladen war.

Noch am selben Tag überredete Corinna meinen Bruder, mir etwas zum Anziehen kaufen zu dürfen. Sie sagte zu meinem Bruder, ich sei gekleidet wie ein altes Weib. »Ein hübsches Mädchen sollte auch hübsche Kleider tragen!« Ich war außer mir vor Glück. Wie oft hatte ich mir vorgestellt, wie es wäre, Kleider zu tragen, die aussahen wie der Westen! Wir fuhren zu einem Einkaufszentrum und ich staunte. So etwas hatte ich noch nie gesehen, noch nicht einmal in Moskau: ein Schaufenster neben dem anderen. Und alles so modern! Corinna kaufte mir eine Jeans und ein rosafarbenes T-Shirt. Dazu noch eine Jacke, gelb und tailliert. »Das sieht sehr gut aus«, sagte Corinna. Ich glaube, sie wollte mir Mut machen. Diese langen Kleider und Mäntel, die wir gewohnt seien, erklärte sie mir, trage man in Deutschland nicht. Nun, sie war eine Deutsche und musste es ja wissen. In diesem Moment beschloss ich, nur noch auf sie zu hören, was meine Kleidung betraf. Vielleicht würde ich dann auch einmal so aussehen wie Corinna.

Als ich nach Hause kam, zeigte ich mich meinem Bruder Ramin. Doch der gab, mit einem kurzen Seitenblick auf Vater, nur ein Stöhnen von sich und sagte: »Oh mein Gott!« Corinna fuhr ihm über den Mund. »Das sieht sehr gut aus!« Dann wandte sie sich an die anderen: »Setzt sie bloß nicht unter Druck.« Damit war die Diskussion vorerst beendet.

Ich fand die Kleider wunderbar, die Corinna mir geschenkt hatte. Aber vor meinem Vater war es mir dennoch peinlich, so herumzulaufen. Draußen auf der Straße hätte es mir nichts ausgemacht. Ich bildete mir ein, Vater guckte komisch, sobald er mich sah, auch wenn er nichts sagte. Ich wollte ihn schonen. Und ich entschied mich, meine neue Jacke einfach über das T-Shirt zu ziehen, auch wenn es in Ramins Wohnung ziemlich warm war.

Vier Tage warteten wir auf ein Zeichen von Mina und den anderen. Mein Vater begann sich Sorgen zu machen. Er hatte den Schlepper angerufen, doch der sagte, dass auch er nichts von ihnen gehört hätte. Nach fünf Tagen waren sie dann endlich da! Sie standen einfach in der Tür: Mina, ihr Mann, Nazima, Ali und Salim. Sie waren voller Dreck, die Jacken und Hosen, sogar das Haar war mit einer Schlammschicht überzogen, und an den Stiefeln klumpte der Matsch. Vater war ganz außer sich vor Freude; sein Gesicht lief rot an und er rang nach Luft. »Nicht hinsetzen – bloß nicht hinsetzen!«, schrie Corinna, als sie in die Wohnung traten. Alle wurden sofort ins Bad geführt, Corinna legte warme Kleidung zurecht, und Ramin stopfte die stinkenden Fetzen in eine Tüte und brachte sie direkt hinunter in den Müll. Als sie wieder aus dem Bad kamen, stand das Essen auf dem Tisch.

Wir redeten nicht darüber, wie sie es durch den Wald geschafft hatten. Immer wenn einer von uns danach fragte, wie es ihnen ergangen sei, schüttelte Minas Mann nur mit dem Kopf. Er wollte nicht darüber sprechen. Es sei das Schlimmste gewesen, was sie auf dem langen Weg von Kabul bis hier erlebt hätten. Mehr sagte er nicht.

Das letzte Stück, so viel hatte Vater ihnen dennoch entlocken können, waren sie mit dem Taxi gekommen. Die Kräfte hatten hinter der Grenze nicht mehr gereicht, um noch zu organisieren, dass wir sie abholten. Es war ihnen egal, was sie bezahlen mussten. Sie hatten noch nicht einmal den Preis heruntergehandelt, was für Afghanen sehr ungewöhnlich ist. Sie stiegen in das Taxi, gaben dem Fahrer einen Zettel mit Ramins Adresse in die Hand und ihre letzten 400 Euro. Im Auto schliefen alle sofort ein.

Wir blieben noch zwei Wochen alle zusammen bei Ramin. Ich hatte das Gefühl, er wollte uns so lange wie möglich bei sich behalten. Und ich war froh darüber, denn die Vorstellung, ohne seine Hilfe zurechtkommen zu müssen, machte mir Angst. Einmal kam eine Cousine zu Besuch, die Ramin warnte. »Das ist gefährlich, was du machst. Sie sind Illegale. Du musst sie abgeben«, sagte sie. Doch Ramin wollte nichts davon wissen: »Sie sollen sich erst mal ausruhen.« Es gibt ein Sprichwort in Afghanistan: »Der

Schweiß von den Füßen muss getrocknet sein. Dann erst kannst du weiterziehen.«

Bevor Ramin uns an einer Straßenecke in der Nähe der Pforte des Asylbewerberheims absetzte, besuchten wir noch meine Tante in Frankfurt. Ihre Wohnung lag auf dem Weg. Mein Bruder hatte gesagt, die Heime in Hessen seien besser als die in Berlin. Nicht so überfüllt, und außerdem bekäme man dort ein bisschen Geld ausbezahlt und keine Gutscheine. Das Geld würden wir dringend brauchen, hatte Ramin gesagt, um die Anwaltskosten zu bezahlen, die wahrscheinlich auf uns zukämen, wenn unser Antrag auf Asyl abgelehnt würde.

Vater hatte ein sehr böses Gesicht gemacht, als Ramin das sagte. Das erste Mal, seitdem wir in Deutschland waren, war Vater laut geworden: »Rede nicht so etwas! Du kannst das gar nicht wissen.« Die Vorstellung, zurückgeschickt zu werden, war für Vater wohl schwer zu ertragen nach diesem langen Weg. Ich glaube, Ramin hatte nicht darüber nachgedacht, als er das sagte. Es war nicht klug, auch wenn er recht hatte. Vaters Miene jedenfalls verdüsterte sich für einige Tage.

Meine Tante, die wir besuchten, trug wieder so schöne Kleider, die nach Europa rochen. Ich freute mich, sie zu sehen. Wie oft hatte ich mir vorgestellt, wie sie wohl lebte in diesem Deutschland. Ihre Wohnung hatte einen weißen Fliesenboden, und darauf stand ein Sofa, das um die Ecke ging.

Ich dachte, wenn nun so viele von uns in Deutschland, und dazu in so einer Wohnung lebten, könne uns hier nichts zustoßen. Wir würden es genauso schaffen wie Ramin und meine Tante. Das machte mir Mut. Und als es dann noch Kuchen gab, mit buntem Obst belegt, und als dieser Kuchen auch noch so köstlich schmeckte, waren alle meine Sorgen verflogen. Kurze Zeit später stiegen wir in Ramins Auto. Die Fahrt dauerte nicht mehr lange. Wir stiegen aus dem Auto und waren wieder auf uns allein gestellt.

KAPITEL 2

Das Heim – eine Art Auffanglager, also wieder eine Sammelstelle, nur dieses Mal legal – lag ganz in der Nähe von Frankfurt. Der Ort hieß Schwalbach. Wieder Container, wieder viel Beton und ein wenig Rasen. Wir mussten durch eine große Halle gehen, durch die alle mussten, die in Schwalbach aufgenommen wurden. Auch jene, die über den Flughafen kamen und dort eingesammelt wurden, um dann in diese Halle gebracht zu werden. Eigentlich kamen die meisten vom Flughafen, das hatte man uns erzählt.

Die Luft in der Halle war stickig. Sehr viele Flüchtlinge waren an diesem Tag in Schwalbach angekommen. Wieder musste ich meine Fingerabdrücke abgeben. Sie wogen mich, maßen meine Größe und ein Arzt untersuchte mich. Sechs Stunden mussten wir dort bleiben, bis ein Mann uns in unsere Zimmer brachte.

Wie eine Kaserne kam mir das Lager mit den vielen aneinandergereihten Containern vor. Alle hatten schwere grüne Türen. Meine Stiefmutter, Vater, Salim und ich kamen alle in ein Zimmer. Aber es war geräumig, hatte zwei Stockbetten und ein kleinen quadratischen Tisch in der rechten Ecke. An der Decke hing eine Glühbirne, und der Boden war aus Plastik mit einem Muster darauf, so als wäre er aus Marmor. Als ich das Zimmer von Minas Familie nebenan inspizierte, stellte ich fest, dass es ganz genauso aussah.

Hier blieben wir einige Wochen. Vater und meine Stiefmutter lagen eigentlich nur auf ihren Betten. Sie hatten sonst nicht viel zu tun. Und auch Salim schien mir träge, irgendwie lustlos zu sein. Ich vermisste Ramin und Corinna. Durch das Fenster sah ich eine Wiese, die von einem kleinen Waldstück begrenzt wurde. Dort beobachtete ich jeden Morgen einen Hasen, der über das Gras hoppelte. Ich hätte ihn gern gestreichelt, aber nach draußen durfte ich nicht; ein Zaun trennte unser Lager von der Wiese. Es waren langweilige Tage. Ich hoffte, bald wieder zu Ramin nach Berlin zu dürfen.

Nach drei Wochen wurden wir in ein anderes Heim verlegt, nach Darmstadt. Niemand sagte uns warum. Es war einfach so. Das Lager sah dem in Schwalbach ähnlich, nur war es in Darmstadt ein wenig enger, es gab weniger Zimmer und mehr Flüchtlinge.

In Darmstadt habe ich eine junge Afghanin kennengelernt. Sie war das erste Mädchen, das ich in Deutschland kennenlernte. Sehr klein, fast winzig war sie, und hatte dichtes, schwarzes Haar. Ihr Gesicht sah aus wie das einer Puppe mit großen, runden Augen und Grübchen. Ihr Mann, ein Muslim, hatte sie aus Pakistan geholt, wo sie seit einigen Jahren mit ihren Eltern lebte. Er war sehr viel älter als sie, hatte eine Glatze und lebte schon lange in Frankfurt. Ab und zu kam er sie in dem Heim besuchen, denn das Mädchen durfte noch nicht gleich zu ihm ziehen, da von den deutschen Behörden die Gültigkeit der Ehe und andere Formalitäten geklärt werden mussten. Sie erzählte uns, der Bruder ihres Mannes sei mit ihrer Schwester verheiratet. Sie hoffte, so bald wie möglich zu ihm und ihrer Schwester zu kommen. Wir hielten noch länger Kontakt, telefonierten auch später ein paarmal miteinander, als sie längst zu ihrem Mann gezogen war und ich in der Nähe von Kassel lebte. Und wieder brachte mir jemand den Beweis dafür, dass ein Muslim nicht automatisch ein guter Mensch ist. Zumindest handelte dieser nicht ehrenhaft.

Sie weinte am Telefon und erzählte, dass sie zu einer Alibi-Heirat nach Deutschland gelockt worden war. Der Mann, den sie geheiratet hatte, hätte in Wahrheit ein Verhältnis zu ihrer Schwester. Sie hatte die beiden zusammen im Schlafzimmer entdeckt. Für sie selbst habe sich ihr Mann nie interessiert. Und was noch schlimmer war: Er sperrte sie zu Hause ein und schlug sie. Aber den Glatzkopf zu verlassen, daran dachte sie nicht. Als ich sie fragte, warum sie nicht einfach gehen würde, wurde sie sogar wütend. »Wo soll ich denn hin?«, fragte sie. Das kommt oft vor bei uns Afghaninnen. Die Frauen werden gedemütigt und geschlagen und bleiben trotzdem.

Dabei war sie ein so hübsches Mädchen. Als wir beide damals in dem Asylantenheim wieder einmal im Hof herumsaßen, sprachen uns zwei Jungen an, die in einem anderen Komplex untergebracht waren und aus dem Kosovo kamen. Sie waren ein wenig älter als wir. Einer der Jungen kam auf die Idee, uns das Fahrradfahren beizubringen.

Die Jungen hatten erst nicht glauben können, dass weder ich noch das andere Mädchen jemals auf einem Fahrrad gesessen hatte. Mir machte das großen Spaß, obwohl das Rad, auf dem ich lernte, keine Reifen hatte. Ich übte also nur auf Felgen, weshalb es ewig dauerte, bis ich einige Meter geradeaus fahren konnte. Warum es ausgerechnet ein Fahrrad ohne Reifen war, weiß ich nicht, denn in dem

Lager gab es sehr, sehr viele Fahrräder. Einige Flüchtlinge hatten sie geklaut und verkauften sie dann weiter. Manchmal standen sogar so viele Fahrräder im Hof, dass alle Farben vertreten waren. Einmal kam die Polizei, um die Fahrräder zu untersuchen, und die Polizisten stellten fest, dass sie gestohlen waren, konnten aber nicht herausfinden, *wer* sie gestohlen hatte.

Eines Nachmittags fragte mich einer der Jungen, ob ich ihn in seinem Zimmer besuchen wolle. Wir könnten eine Tasse Tee zusammen trinken. Ich weiß noch, dass ich steif und stumm in diesem Zimmer auf einem der Betten saß und auf den Boden starrte, während der Junge versuchte, mir lustige Geschichten zu erzählen, um die Unterhaltung in Gang zu halten. Nach fünf Minuten verabschiedete ich mich wieder. Ich log ihm vor, ich müsse zum Abendessen zurück in unserem Zimmer sein.

Ich schämte mich, fragte mich abends im Bett, was ich da getan hatte. Einfach in das Zimmer eines Jungen zu gehen, ganz ohne Begleitung. Nie zuvor war ich mit einem fremden Jungen allein gewesen. Ich fand es spannend, wollte es ausprobieren, sonst hätte ich ihn nicht in seinem Zimmer besucht. Aber es hatte mir auch Angst gemacht. Nicht weil ich fürchtete, der Junge könnte mir etwas antun. Aber was, wenn irgendjemand herausbekommen würde, dass ich in dieses Zimmer gegangen war?

Zwei Mal die Woche durften wir uns Kleidung und Geschirr aus Kartons aussuchen, in denen alles gesammelt wurde, was die Menschen aus der Umgebung für uns gespendet hatten. Es war jedes Mal ein bisschen so wie ein großes Fest. Einmal waren kleine Kuscheltiere in den Kartons. Eigentlich waren es Schlüsselanhänger, aber man konnte sie auch hervorragend am Bettgeländer befestigen. Ich hatte mir gleich mehrere ausgesucht. Das Känguru, das ich damals bekam, besitze ich heute noch. Es hat riesige Augen aus schwarzen Knöpfen. »Wie ein echtes Känguru!«, dachte ich damals. Und der Affe hängt heute immer noch bei meinen Eltern im Badezimmer am Spiegel über dem Waschbecken.

Meinen Schwester Mina zog mich damals damit auf: »Du bist doch schon zu groß für Kuscheltiere.« Aber ich hatte noch nie einen Plüschaffen besessen und auch kein Känguru. Zum Einschlafen habe ich immer eines der Tiere mit ins Bett genommen und das Fell gestreichelt.

Die Wochen in diesem Lager waren langweilig, aber sorgenfrei. Ich fühlte mich dort sicher. Alles war so übersichtlich und klein. Alle dort waren wie wir, Flüchtlinge. Sogar ein paar Afghanen trafen eine Woche nach uns ein. Eine Zwischenstation also. Und Deutschland, Germany, all das Schöne, so dachte ich, lag noch vor mir.

Unsere nächste Station war ein Dorf bei Calden, eine halbe Stunde von Kassel entfernt. Es war unser drittes Heim. Eineinhalb Jahre blieben wir dort, wieder in nur einem Zimmer für meine Stiefmutter, Vater, Salim und mich. Und auch Minas Familie hatte wieder nur ein Zimmer. Es gab eine Gemeinschafts-Küche und ein Gemeinschafts-Badezimmer, das wir uns mit anderen Asylbewerbern teilten. Zum Glück waren dort kaum welche anzutreffen. Manchmal waren wir sogar die einzigen Familien, die dort lebten. Der Sommer zog sich hin. Das Dorf ist winzig, ein paar Häuser mit spitzen Dächern, eine Bäckerei, ein Gasthof und ein Mini-Supermarkt, der immer nur von 9 bis 14 und von 16 bis 18 Uhr geöffnet hatte. Mir kam es manchmal vor, als sei dieses Dorf der verlassenste Ort der Welt. Zumindest in Afghanistan kannte ich keinen Ort, der so ohne Leben war. Und so leise. In Kabul waren die Straßen voller Karren, die rumpelten, Händler, die schrien, und Autos, die hupten. Man blieb an jeder Ecke stehen, um sich mit den Nachbarn und den Menschen aus dem Viertel zu unterhalten – schon aus Höflichkeit. Das ist bei uns Afghanen sehr wichtig. Bis man wieder zu Hause ankam, dauerte es deshalb immer eine halbe Ewigkeit. Ich glaube, in dem Dorf grüßte niemand, weil wir es waren, die Fremden, die aus dem »Block«, so wurde unser Heim genannt. Es war, als wären wir gar nicht dort, als würde uns eine unsichtbare Wand von den Einheimischen trennen. Und manchmal hatte ich das Gefühl, einsam zu sein, trotz meiner Familie, die ja ständig um mich war.

Wenn wir etwas brauchten, das man in dem Mini-Supermarkt nicht bekommen konnte (was sehr oft vorkam), wurden Salim und ich mit den Fahrrädern losgeschickt. Der nächste Aldi-Laden war einige Kilometer entfernt, und der Bus fuhr nur einmal pro Stunde. Für uns war das eine willkommene Abwechslung, denn sonst gab es für Salim und mich nicht viel zu entdecken. Wir streiften durch die Haferfelder oder saßen auf den Treppenstufen vor dem Eingang unseres Heims.

Einmal, als wir mit den Fahrrädern auf dem Weg zu Aldi den Hang hinunterfuhren, bremste Salim vor der Kurve viel zu spät. Unsere Räder krachten ineinander, und Salim und ich flogen in hohem Bogen über einen Gartenzaun, der zu einem kleinen Fachwerkhaus mit grünen Fensterläden gehörte. Wir landeten mitten in einem Blumenbeet. Meine Hose war zerrissen, und mein Arm blutete. Mir tat es um die Blumen leid, am liebsten hätte ich an der Tür geklingelt und mich entschuldigt. Aber wir mussten schnell weg, sonst hätten Vater oder unsere Stiefmutter noch etwas erfahren. Und dann hätten wir großen Ärger bekommen.

Manchmal denke ich heute, falls uns jemand dabei beobachtet haben sollte, wie wir einfach davongelaufen sind, hätte der sicher gedacht: »Typisch Ausländerkinder, die haben kein Benehmen und hauen einfach ab.« Damals glaubten wir, es wäre besser so.

Salims und mein erster Schultag rückte heran. Sayed war eigens von Wiesbaden nach Kassel gekommen, um uns zu begleiten. Vater und meine Stiefmutter hätten schließlich noch weniger verstanden als wir.

Salim sollte mit mir die siebte Klasse besuchen, auch wenn er drei Jahre älter war. Keiner wusste so recht, wohin mit ihm. In Kabul gab es keine Untersuchungen, die ergeben hätten, dass er behindert war und auf eine Förderschule gehörte, so wie es später in Deutschland festgestellt wurde. In Afghanistan war Salim einfach Salim. Er musste keine Schule besuchen. Hier, in Deutschland, musste jeder die Schule besuchen. Und so dachten alle, es wäre erst einmal das Beste für ihn, wenn ich in seiner Nähe sei.

Schon am Abend zuvor hatte ich überlegt, was ich an meinem ersten Schultag anziehen wollte. Ich wählte eine Jeans aus und ein rosafarbenes Sweatshirt. Ich musste unbedingt gut aussehen und hatte mir sogar noch vor dem Schlafengehen die Haare gewaschen. Die Vorfreude war so groß, die Aufregung und auch die Angst, dass ich beinahe die ganze Nacht wach lag. Wie oft hatte ich mir gewünscht, eine Schule besuchen zu dürfen!

Sayed hatte uns Schultaschen besorgt. Meine war dunkelblau, mit einer grünen Schrift bedruckt. Ich fand sie wunderschön. Sie hatte drei Fächer, darin ein Paket mit Buntstiften und eine Mappe mit Bleistiften und einem Füller. Ich kannte das aus alten Filmen, wenn die Leute mit Federn schrieben und die Schrift so wunderschön aussah, so gleichmäßig und mit Schnörkeln. So wollte ich auch einmal schreiben können. Am meisten beindruckte mich ein Stift, der die Tinte aus dem Füller einfach wieder unsichtbar machen konnte. Morgens vor der Schule wollte ich die Tasche noch einmal ausräumen, um all die schonen Sachen zu betrachten. Aber Sayed sagte in strengem Ton, dafür hätte ich später noch genügend Zeit. Wir müssten los, in Deutschland müsse man pünktlich sein.

Unser Bruder brachte uns zuerst zum Lehrerzimmer. Wir sollten dort dem Direktor vorgestellt werden. Er war ein freundlicher, kleiner Mann mit schütterem Haar. Wir sagten »Guten Tag«, das hatten wir noch mit Sayed geübt. Der Direktor lächelte und wies uns einer Klasse zu. Er erklärte Sayed den Weg, und damit war unsere Visite schon beendet. Wir mussten nur noch den Gong abwarten, der die nächste Schulstunde einläutete. Dann würden wir unsere Klassenkameraden kennenlernen – ich würde Freundinnen finden, und diese schreckliche Langeweile würde endlich aufhören.

Sayed brachte uns noch zu unserem Klassenraum. Der Flur dorthin war lang, und ich hatte das Gefühl, als bohrten sich viele Blicke in meinen Rücken. »Den Rest müsst ihr allein schaffen«, sagte Sayed. Und wir schafften es auch.

Unsere Klassenlehrerin war nett. Sie hatte braune Locken, genauso wie Fara, nur länger. Sie forderte uns auf, uns vorne vor die Klasse zu stellen und zu sagen, wer wir sind. »Hallo, ich bin Zohre, vierzehn Jahre alt und komme aus Afghanistan.« Wie oft hatte ich diesen Satz geübt. Doch die Gesichter, in die wir blickten, wirkten nicht besonders freundlich. Wir waren die Neuen, wurden gemustert und beäugt. Salim und ich bekamen eine Schulbank zugewiesen. Danach sprach an diesem Tag keiner mehr ein Wort mit uns. Das mit dem Freundefinden war also nicht so einfach, wie ich gehofft hatte.

Salim und ich waren die einzigen Ausländer in der Klasse. An drei Mädchen kann ich mich besonders gut erinnern, sie hießen Jaqueline, Sarah und Lena. Sie hatten helle Haut, wie Milch, was ich besonders schön fand, weil ich so helle Haut aus Kabul nicht kannte.

Lena war groß, schlank, hatte einen dunklen Pagenschnitt, und sie trug sehr schöne Kleidung, viel rosa, für das ich so schwärmte. Sarah war klein und blond, Jaqueline ein bisschen pummelig und hatte rote Haare. Sie blieben immer zu dritt. Und so sehr ich mich bemühte, ihnen zulächelte, mich in ihrer Nähe aufhielt, fragten sie mich nicht, ob ich mich in der Pause zu ihnen stellen wollte. Vor allem wenn wir in der Cafeteria saßen, weil es draußen regnete, fühlte ich mich einsam unter all den anderen Schülern.

Nach ein paar Wochen machten wir mit der Klasse einen Ausflug, und ich dachte kurz, wir hätten es vielleicht geschafft. Wir fuhren an einen See. Anfangs standen Salim und ich wieder abseits. Es war ein heißer Tag, und alle sprangen sofort ins Wasser. Salim und ich konnten nicht schwimmen. Und auch wenn ich es hätte versuchen wollen, besaß ich keinen Badeanzug. Also blieben wir am

Ufer zurück. Der Lehrer tat alles, damit wir uns wohlfühlten. Wir haben Würstchen gegrillt, und er hatte für Salim und mich extra Geflügelwürstchen besorgt. »Zohre, das ist wirklich Geflügel«, hatte er noch einmal versichert, als er mir anmerkte, dass ich nicht wusste, ob ich tatsächlich hineinbeißen durfte.

Später spielten einige der Schüler Federball auf der Wiese. Ich hatte das zuvor nie ausprobiert, doch ich merkte, wie gut es mir gelang. Bald war ich so gut, dass sogar einige der Jungs gegen mich spielen wollten. Einer rief sogar: »Gut, Zohre!« Keiner von ihnen hatte mich zuvor mit meinem Namen angesprochen. Endlich hatten sie begonnen, mich zu sehen, dachte ich. Doch am nächsten Tag war wieder alles wie vorher.

Am auffälligsten war dieses »Nicht-Dazugehören« im Sportunterricht, wenn Teams gebildet wurden. Salim und ich blieben jedes Mal als Letzte übrig, obwohl ich schneller laufen konnte als manche der Jungs. Es tat jedes Mal weh, wenn wir dort alleine auf der Bank saßen. Noch schlimmer aber war die Umkleidekabine. Ich war es nicht gewöhnt, dass mich andere halbnackt, nur in Unterhose, sahen. Und in der siebten Klasse, in die Salim und ich gingen, waren die anderen zwölf. Nicht 14, wie ich, oder 17, wie Salim. Ich hatte schon Brüste, wofür ich mich schrecklich schämte. Wieder etwas, was mich von den anderen unterschied. Jeden Morgen, bevor ich zur Schule ging, habe ich zwei BHs übereinandergezogen. So wollte ich mir die Brüste wegdrücken, damit die anderen die Wölbungen unter dem T-Shirt nicht sahen. Und irgendwann kam das Bauchweh hinzu, dieser stechende Schmerz, vor allem morgens, wenn ich zur Schule musste.

Wie seltsam müssen wir auf die anderen in der Klasse

gewirkt haben. Schon weil wir nie sprachen. Anfangs verstand ich kaum ein Wort. Auch als mein Deutsch immer besser wurde, konnte ich Situationen immer noch nicht einschätzen. Wenn die anderen Witze machten, meist über Salim, wusste ich nie, ob sie es böse meinten oder ihn nur neckten. Wie muss es sie genervt haben, wenn ich im Unterricht mal wieder etwas nicht verstand und wieder mal rief: »Moment, bitte!« Wie ich dann wild in meinem Wörterbuch herumblätterte, das ich immer und überall mitschleppte. Aber ich hatte schließlich keine andere Wahl, wenn ich lernen wollte. Und das wollte ich! Das Wörterbuch war am Ende völlig zerfleddert. Bis ich es irgendwann, sehr viel später, nicht mehr mitnahm, weil ich es nicht mehr brauchte.

Einmal passierte etwas, das ich nie vergessen werde. Vor dem Schulbus bildete sich immer eine Schlange, alle drängelten, besonders wenn es regnete oder kalt war. Jedes Mal schimpfte der Busfahrer mit uns und verlangte, dass wir uns in Zweierreihen aufstellten. Und dann »zivilisiert« einstiegen, wie er sagte.

Eines Tages, es regnete wie verrückt, kam Lena von hinten angerannt. Sie war zu spät. Lena lachte und begann zu schubsen. »Los, macht schon«, rief sie, lachte wieder und die anderen lachten auch. Es war ein Spaß, aber ich begriff ihn nicht. Lena schubste mich zur Seite, und ich stieß gegen Salim, der hinfiel. Seine Jacke war danach völlig verdreckt. Ich war wütend. Als ich mich dann im Bus ganz hinten neben Lena setzen wollte, weil sonst kein Platz mehr frei war, schüttelte sie den Kopf. Sie lachte wieder und setzte sich demonstrativ in die Mitte der beiden Sitze. Das machte mich noch wütender. Vielleicht war es nicht nur das Vordrängeln und Schubsen. Vielleicht war es auch nicht nur, dass sie nicht wollte, dass ich neben ihr saß. Vielleicht waren es einfach all die Monate der Nichtbeachtung, des Ausgeschlossenseins.

Jedenfalls packte ich sie an ihrer Jacke, riss sie hoch – ich war einen Kopf größer –, schüttelte sie kräftig durch und schrie: »Warum hast du dich vorgedrängelt, wieso machst du das immer? Ich habe dir nichts getan!« Lena starrte mich entsetzt an, und kurz darauf begann das Geschrei. Nicht nur Lena schrie, sondern auch die anderen Mädchen um sie herum. Am Ende auch ich.

Der Busfahrer hielt abrupt an und rief: »Was ist hier los?« Als er sah, dass ich Lena am Kragen hielt, schimpfte er: »Sofort loslassen!« Er zeigte auf Lena: »Du setzt dich hin!« Und zu mir: »Du bleibst da stehen, wo du bist und rührst dich nicht vom Fleck.« Dann murmelte er noch etwas wie »verzogene Fratzen«, setzte sich wieder hinter sein Steuer und fuhr weiter.

Die ganze Fahrt waren alle Augen auf mich gerichtet. Ich schämte mich, wie ich mich noch nie für etwas geschämt hatte. Als ich von der Schule kam, legte ich mich aufs Bett und heulte den ganzen Tag.

KAPITEL 3

Aber es gab auch Menschen, die mir halfen und mir Kraft gaben, damit ich durchhielt. Da war die Sozialarbeiterin, die einmal in der Woche kam und uns die nächsten Schritte in unserem Asylverfahren erklärte. Für Salim und mich brachte sie immer Süßigkeiten mit. Sie hatte eine pilzartige Frisur mit roten Strähnchen, und ihre Fingernägel waren immer schön in Perlmuttfarbe lackiert. Ich mochte sie sehr, denn ich hatte das Gefühl, sie war wirklich an Salim und mir interessiert. Sie war es auch, die uns in der ersten Woche erklärt hatte, wie wir mit dem Bus in die Schule kamen. Dafür war sie mit uns den Weg zur Bushaltestelle zwei Mal abgelaufen, damit wir sie auf keinen Fall verfehlten.

Das Schönste war, dass sie mich jedes Mal lobte, wenn ich ihr meine Hausaufgaben zeigte. Ich war irgendwann geradezu süchtig danach, sie ihr zu zeigen. Vater interessierte nie, was ich in der Schule tat. Er konnte nicht lesen. Die Sozialarbeiterin dagegen las alles, was ich ihr gab, später sogar die längeren Aufsätze. »Gut, Zohre«, sagte sie dann. »Ich bin stolz auf dich.« Und wenn ich etwas nicht verstand, erklärte sie es mir. Manchmal dachte ich, dass meine Mutter heute genauso wäre, wenn sie noch leben würde.

Das Zimmer, in dem meine Stiefmutter, mein Vater, Salim und ich lebten, war winzig. Und wenn vier Menschen auf so engem Raum zusammen leben, gibt es oft Streit. Immer dann, wenn niemand im Raum war – was so gut wie nie vorkam –, setzte ich mich auf mein Bett und genoss die Stille. Ich saß einfach nur da. Und jedes Mal hoffte ich, ein paar Minuten für mich zu sein. Doch irgendwer platzte immer durch die Tür. Und jedes Mal sah ich entweder in schlecht gelaunte Gesichter, oder ich hörte Vorwürfe, warum ich dies noch nicht erledigt hätte oder jenes nicht. In Kabul hatten wir viel Zeit in unserem Hof verbracht, und Vater war tagelang mit seinem LKW unterwegs gewesen. Hier, in Deutschland, hatten wir nur diesen einen Raum. Und wenn Salim und ich Hausaufgaben machten, dann saßen wir an dem kleinen runden Tisch am Fenster, während Vater und meine Stiefmutter auf ihren Betten warteten, bis wir endlich fertig waren.

Ich streifte oft über die Flure in diesem Heim, um der Enge zu entkommen. Dabei entdeckte ich ein Zimmer, das leer war. Immer wieder ging ich an der Tür vorbei, und schließlich traute ich mich und fragte unsere Sozialarbeiterin, ob ich nicht dort wohnen könnte, ich ganz allein. Ich hatte mir überlegt, der Sozialarbeiterin zu sagen, dass es wegen der Schularbeiten sei, auf die ich mich nicht konzentrieren könne. Aber in Wirklichkeit ging es natürlich nicht (oder jedenfalls nicht nur) um die Schularbeiten. Ich sehnte mich danach, für mich zu sein. Und ich glaube, sie verstand mich, denn zu meinem großen Erstaunen sagte sie, sie werde mit dem Amt sprechen. Wenn in nächster Zeit keine Familie einziehe, könne ich das Zimmer haben.

Ich konnte es kaum glauben, als ich eine Woche später von ihr das O. K. für meinen Umzug bekam. Sofort rannte ich über den Flur in das leere Zimmer, bezog das Bett, ordnete meine Stifte, legte das Federmäppchen und meine Hefte säuberlich auf dem Tisch und schaffte auch meine Musik-Kassetten – ich besaß sieben – und den Rekorder hinüber. Mein erstes eigenes Zimmer!

Der Hausmeister Klaus, dessen Dienstzimmer auf unserem Flur lag, baute mir ein kleines Regal, in das ich meine Kassetten und Schulbücher stellte. Klaus war schon ein älterer Mann. Er liebte uns Kinder, besonders Nazima und Ali. Manchmal tobte er mit ihnen über den Flur, spielte Fangen mit ihnen oder Ball. Mir half Klaus manchmal bei den Hausaufgaben. Wenn ich die Aufgabenstellung nicht verstanden hatte, dann las er sie noch einmal Zeile für Zeile vor. Und wenn ich sie dann immer noch nicht verstand, dann erklärte er sie mir.

Ich war froh, dass es Klaus gab, denn er hatte große Geduld mit mir. In seiner Kammer war eine Kommode mit einer Schublade, in der er Kinderschokolade versteckt hatte. Ab und zu bekam ich, wenn ich mit meinen Hausaufgaben fertig war, zur Belohnung einen Riegel geschenkt. Und wenn wir vergessen hatten, Zwiebeln oder Milch zu kaufen, dann half er meiner Stiefmutter aus. Sie hielt ihn für einen armen Mann. Arm, weil er alleine war. »So alt und keine Enkel«, sagte sie immer. Unvorstellbar für eine Afghanin, dass ein Mann in diesem Alter nie geheiratet hatte. Aber auch meine Stiefmutter mochte Klaus. Nur wenn er Alkohol getrunken hatte, dann redete er sehr viel und so schnell, dass wir alle kein Wort mehr verstanden.

Neben der Sozialarbeiterin und Klaus war da noch dieses Ehepaar. Die Frau hieß Dörthe und ihr Mann ebenfalls Klaus. Sie waren Rentner, ihr Sohn studierte längst in München. Klaus war früher einmal Ingenieur gewesen und hatte eine Zeitlang in Pakistan und auch in Kabul gearbeitet. Dörthe hatte ihn begleitet. Ich glaube, deshalb hatte sie sich auch in unserem Asylantenheim engagiert, weil sie unser Land kannte. Sie brachte alle fünf bis sechs Wochen gebrauchte Kleider vorbei, die sie in ihrem Freundeskreis und in der Nachbarschaft gesammelt hatte. Und manchmal schenkte sie uns selbst gemachte Marmelade. Als Gegenleistung schickte meine Stiefmutter mich dann zu Klaus und Dörthes Haus, um ihnen afghanisches Essen zu bringen, das meine Stiefmutter gekocht hatte. Das machte man so in Afghanistan, es war ein Zeichen der Ehrerbietung und der Freundschaft, wenn man jemandem Essen brachte.

Als ich wieder einmal mit einem Teller frisch gebackenem Chadjur vor ihrer Haustür stand, lud Dörthe mich ein, noch eine Weile zu bleiben. Ich sollte erzählen, wie es mir in Deutschland gefalle. Und sie fragte, wie es mir in der Schule gehe und ob ich Freunde gefunden hätte. Und dabei aßen wir den Chadjur meiner Stiefmutter.

Klaus und Dörthe hatten ein großes Haus, einen Bungalow. Das Wohnzimmer war riesig, und überall standen schöne Dinge herum: Holz-Elefanten aus Afrika und bunt bemalte Masken. Klaus und Dörthe mussten viel gereist sein. Und im Arbeitszimmer von Klaus waren die ganzen Wände vollgestellt mit Büchern. So viele Bücher hatte ich noch nie auf einmal gesehen.

Beim Abschied sagte Dörthe noch, sie freue sich, wenn ich wieder einmal vorbeischaute. Und ich schaute gern wieder vorbei, denn Dörthe schien sich für mich zu interessieren, und ich genoss es, dass sich jemand einmal nur für mich interessierte.

Zunächst plauderten wir nur, doch bald begann Klaus, mir bei den Hausaufgaben zu helfen. In Mathe und Physik wurde ich schnell besser, am Ende waren sie sogar meine Lieblingsfächer. Nur dieses Deutsch, damit hatte ich immer noch Schwierigkeiten. Klaus begann mit mir sprechen zu üben, alle zwei Tage eine Stunde, wie ein richtiger Deutschlehrer. Ich bekam sogar Hausaufgaben auf. Und manchmal, das gefiel mir am besten, durfte ich in dem großen Wohnzimmer fernsehen. Das sei gar nicht schlecht für mein Deutsch, sagte Klaus und lachte. So kam es, dass ich Dörthe und Klaus immer öfter besuchte. Und wenn sie die Klingel nicht hörten, weil sie im Sommer auf der Terrasse saßen, ging ich einfach durch das Gartentor und um das Haus herum. Die beiden waren mir bald so vertraut, als wäre Dörthe meine Tante und Klaus mein Onkel.

Ich glaube, alle vier – die Sozialarbeiterin, Hausmeister Klaus, der andere Klaus und Dörthe – haben dazu beigetragen, dass ich später die Schule schaffte. Und dass ich in Deutschland bleiben wollte und nie aufgab. Eineinhalb Jahre waren zu kurz, um aufzugeben. All die schönen Dinge, die in Deutschland auf mich warteten! Nie dachte ich daran, zurück nach Kabul zu wollen, das erlaubte ich mir gar nicht.

Im Gegensatz zu Vater. Er und meine Stiefmutter hatten in diesen eineinhalb Jahren niemanden kennengelernt, weder Deutsche noch Afghanen. Nur meine Brüder kamen manchmal zu Besuch, vor allem Sayed, der mittlerweile von Wiesbaden nach Kassel gezogen war. Doch unser Dorf lag abseits, und so kam Sayed nur an den Wochenenden.

Irgendwann schlug Ramin am Telefon vor, wir sollten doch in die Nähe von Sayed ziehen, an den Stadtrand. Ramin hatte über eine Anzeige eine Wohnung in einem Hochhaus gefunden. Dort lebten auch andere Ausländer, sagte Ramin, und dort würden sich Vater und meine Stiefmutter vielleicht nicht so einsam fühlen.

Unsere Sachbearbeiterin war eine große, dünne Frau, mit einer sehr langen Nase, die trotz ihrer Länge noch nicht einmal in Afghanistan als schön angesehen worden wäre. Ich fand die Frau sogar besonders hässlich. Das lag vielleicht daran, weil ich sie nicht ein Mal lächeln sah. Ihre Augen hatten etwas Gleichgültiges, denn sie veränderten sich nicht. Egal, was man der Frau erzählte, ihre Augen blieben gleich, ohne Ausdruck. Auch dann noch, als sie uns ein Jahr später sagte, wir würden abgelehnt. Wir bekämen kein Asyl. Die Augen meines Vaters dagegen rissen weit auf, als sie das sagte. Für ein paar Sekunden waren sie starr vor Schreck, bis sich wieder diese traurige Mattheit darüberlegte, mit der er die nächsten Jahre jeden Einspruch unseres Anwalts und jede weitere Ablehnung unseres Antrags über sich ergehen ließ. Mit der er dieses »Geduldetsein« aushielt. Und hinter der er – zumindest äußerlich – seine Angst vor dem Zurückgeschicktwerden zu verstecken glaubte.

Doch auch wenn diese Frau sich damals für uns nicht interessierte, obwohl wir für sie nicht mehr waren als eine Familie unter vielen, die sie betreute, gab sie ihr »Ja« für den Umzug an die Stadtgrenze von Kassel. Vellmar, 60

Quadratmeter, drei Zimmer – nur für meine Stiefmutter, Vater, Salim und mich! Tage vorher war ich so aufgeregt, dass ich nicht schlafen konnte. Der Umzug bedeutete auch, dass Salim und ich in eine neue Schule gehen würden. Eine neue Chance, vielleicht endlich Freunde zu finden. Die Voraussetzungen dafür waren besser geworden: Ich sprach Deutsch, zumindest konnte man mich jetzt besser verstehen.

Unsere neue Wohnung hatten Ramin und Sayed mit Möbeln vom Sperrmüll eingerichtet. Das Sofa war aus schwarzem Leder, worüber Ramin stolz war. Denn er war überzeugt, es sei echtes Leder. Für mich war mein Zimmer der schönste Raum in der Wohnung. Der Boden war mit blauem Teppich ausgelegt. Er war der einzige Raum, in dem ein neuer Teppich gelegt worden war, denn der Vormieter hatte ein glühendes Bügeleisen darauf abgestellt. Eigentlich sollten Salim und ich zusammen in diesem Zimmer schlafen, doch auch Salim wollte jetzt alleine sein. Vater und meine Stiefmutter gingen früh ins Bett. Und so schlug ich Salim vor, dass er im Wohnzimmer auf dem Sofa schlafen könnte. Dort stand auch der alte Fernseher, was ein gutes Argument war, denn Salim liebte Fernsehen. Und so waren wir beide mit dieser Lösung sehr zufrieden.

Die Tür hinter mir schließen und niemanden mehr sehen, wenn mir nicht danach zu Mute war. Wie befreit ich war! Und es gab Tage, an denen ich in meinem Zimmer blieb, ohne es ein einziges Mal zu verlassen. Ein Bett, ein Schrank, ein kleiner Schreibtisch, auf dem ein alter Computer stand, den mir Ramin besorgt hatte, und die Schminkkonsole – mehr passte nicht hinein. Die Konsole hatte ich eigens für die Dove-Creme zusammengeschraubt, auf die ich sehr stolz war, denn sie war die erste Gesichtscreme meines Lebens. Ein alter Spiegel, zwei Latten und ein Nachttisch – mehr brauchte es für eine Schminkkonsole nicht.

Am liebsten aber saß ich am Fenster. Dort konnte man über den Süden von Kassel blicken, über alle Dächer hinweg und auch über Wiesen und Felder. Wie wohl ich mich dort oben fühlte! Alles war so klein, so hübsch und übersichtlich. Und wenn Salim und ich uns aus dem Küchenfenster lehnten, konnten wir von dort oben sogar den Kasseler Herkules sehen.

KAPITEL 4

Unser erster Schultag war wie zu erwarten. Wieder stellten wir uns der Klasse vor, und wieder blieben Salim und ich in der anschließenden Pause allein. Wieder Mädchen, die nichts mit mir zu tun haben wollten. Und Jungs, die sich über Salim lustig machten. Einer von ihnen bewarf uns, sobald der Lehrer nicht hinsah, im Unterricht mit Papier, das er zu kleinen Kugeln geformt hatte. Wenn ich ihn anschrie, er solle das lassen, dann lachten alle. Und wenn wir in Gruppen arbeiten sollten, blieben wir ebenfalls zu zweit, Salim und ich. Was mir die Arbeit doppelt schwer machte, denn Salim war in der Schule keine große Hilfe.

Einer der wenigen, die mit uns redeten, war ein Junge aus Sri Lanka. Er war ein Adoptivkind, seine neuen Eltern hatten ihn schon als Baby zu sich geholt. Ich mochte ihn schon deshalb, weil er Salim und mir ähnlicher sah als wir den Deutschen. Manchmal, wenn ich Fragen zu den Hausaufgaben hatte – denn in der alten Schule hatten wir nicht in allen Fächern den gleichen Stoff durchgenommen –, dann antwortete er, tat nicht so genervt wie die anderen. Er wollte mir, glaube ich, wirklich helfen.

Und dann war da noch dieses Mädchen aus der Ukraine, das mich zu mögen schien. Wir redeten nicht oft miteinander. Doch wenn sich unsere Blicke trafen, dann lächelte sie. Und manchmal fragte sie mich, wie es mir gehe, oder wünschte mir einen guten Morgen. Und dann unterhielten wir uns ein wenig.

Eines Tages saß ich am Ende der Pause mit dem Jungen aus Sri Lanka zusammen vor dem Klassenraum, als Maxi vorbeikam. Maxi ging in die Parallelklasse. Er war groß, hatte kurze braune Haare, vorne mit Gel ein wenig nach oben zu einer Tolle gedreht. Und seine Turnschuhe waren von Puma. Alle Jungen bewunderten ihn. Und die Mädchen waren in ihn verliebt. Als er mich und den Jungen sah, rief er laut, sodass es alle hörten: »Ohhhh, zwei Verliebte!« Er wiederholte es, lachte und tanzte vor uns herum. Mir war das entsetzlich peinlich, auch vor dem Jungen aus Sri Lanka. Was sollte er nur denken? Ich bat Maxi, doch bitte damit aufzuhören, doch er machte weiter, so lange, bis er ein rotes Gesicht bekam vor Eifer. Und alle, die sich um ihn versammelt hatten, lachten mit.

In Afghanistan regelte man die Dinge anders als in Deutschland. Man wurde laut, drohte oder packte den anderen. So machte man klar, wo die Grenzen lagen und wer das Sagen hatte. Und daher kam es in Afghanistan auch öfter vor, dass ein Streit – zumindest zwischen Männern – mit den Fäusten ausgetragen wurde. Ich sprang auf, lief auf Maxi zu und haute ihm mit der flachen Hand sein Käppi vom Kopf, worauf er anfing, nach mir zu treten. Es war mehr eine Art Reflex. Als er trat, fasste ich seinen Fuß und zog ihn in die Höhe. Dann hörte ich noch ein lautes, dumpfes »Bumm«, und Maxi lag auf dem Boden. Alle waren plötzlich ganz still. Ich glaube, sie hatten noch nie gesehen, dass jemand Maxi mit einem Schlag umhauen konnte. Ich war dankbar, dass in dem Moment unser Lehrer um die Ecke bog, um das Klassenzimmer aufzuschließen. Keiner verriet mich an diesem Vormittag, aber in der Pause sprachen alle darüber.

Nur vorsichtig näherten wir uns an, das ukrainische Mädchen und ich. Sie hieß Kira, war ein wenig rundlich, hatte ein rundes Gesicht und schöne weiße Haut. Und ich glaube, wenn jemand wusste, wie ich mich fühlte, dann war sie es. Kira war mit ihrer Mutter zwei Jahre zuvor nach Deutschland gekommen. Sie war also ebenfalls fremd in diesem Land, auch wenn man es ihr nicht ansah. Kiras ältere Schwester lebte schon länger hier und hatte der Mutter einen deutschen Mann organisiert. Er hieß Manfred, und Kira mochte ihn nicht besonders. Nachdem ich Maxi zu Boden geworfen hatte, lächelte mir Kira nicht mehr zu. Sie hatte an dem Tag inmitten seiner Bewunderer gestanden. Kira hatte zwar nicht mitgelacht, sie stand nur dabei. Doch die Tage danach tat sie so, als würde sie mich nicht mehr kennen.

Ich fing Kira in der Mädchentoilette ab und stellte sie zur Rede. Ich sagte ihr, dass ich Maxi nichts hatte tun wollen und dass es mir leidtäte. Und ich war verblüfft, als sie nur sagte: »Ich weiß.« Und dass sie ein schlechtes Gewissen habe, weil sie mir nicht geholfen hatte, als Maxi sich über uns lustig machte. Kira hatte Angst, die anderen Mädchen würden glauben, sie gehöre zu mir. Sie wollte nicht ausgeschlossen werden, so sagte sie. Es tat weh, das zu hören, aber Kira war ehrlich. So ehrlich hatte ich – außer mit Jasmin, damals in Kabul – noch nie mit einem Mädchen gesprochen.

Ich glaube, wenn einer selbst um Anerkennung kämpft,

kann man von ihm schwer verlangen, dass er sich für jemanden einsetzt, der noch unbeliebter ist als er selbst. Aber im Nachhinein gesehen hatte die Sache mit Maxi auch etwas Gutes: Kira und ich hatten uns ausgesprochen. Und von da an waren Kira und ich Freundinnen. Und es hatte noch etwas Gutes: Maxi ließ mich in Ruhe.

Leider musste ich schon nach ein paar Wochen feststellen, dass es in Deutschland gar nicht leicht ist, eine Freundin zu haben, wenn der Vater ein Afghane ist. Telefonieren durfte ich nicht. Und abends ausgehen, was die Mädchen in meiner Klasse öfter taten, schon gar nicht. An den Wochenenden, wenn die anderen auf Partys oder ins Kino gingen, begann ich bei Adel zu arbeiten. Adel war der Vermieter meiner Schwester Mina. Sie wohnte mit ihrem Mann und den Kindern in dem Hochhaus neben uns. Ich hatte die Wohnungsanzeige in der Zeitung entdeckt und mit Adel Kontakt aufgenommen. Und Adel hatte mich gefragt, ob ich nicht ab und zu bei ihm im Gasthof aushelfen möchte. Natürlich brauchte ich auch dafür bei Vater all meine Überredungskünste. Ein afghanisches Mädchen geht schließlich nicht arbeiten. Doch als Vater Adel kennenlernte und der versprach, mich jedes Mal nach der Arbeit wieder nach Hause zu fahren – was sehr nett war, denn Adels Gasthof lag etwas außerhalb –, willigte Vater schließlich ein.

Ich ging gerne zu Adel, denn dort wurde ich nicht auf Schritt und Tritt beobachtet. Adel mochte mich. Ich glaube, gerade weil er Muslim war, ein moderner Muslim, verstand er mich so gut. Mittlerweile gab es zu Hause wegen jeder Kleinigkeit Streit, z.B. wenn ich doch einmal mit Kira telefonieren wollte oder wenn ich an meinem

Schreibtisch am Computer saß. Dieser verdammte Computer! Vater konnte mit diesem Gerät nichts anfangen. Und als ich ihm erklärte, dass man sich im Internet mit Menschen unterhält, ähnlich wie in Briefen, nur schneller, war ihm das erst recht suspekt. Manchmal passierte es, dass Vater einfach den Stecker aus der Steckdose zog, wenn ich am Computer saß. Vater behauptete, wir müssten Strom sparen, und vermutlich stimmte das auch. Aber vor allem hasste er es, wenn ich mich mit Fremden im Internet unterhielt.

Das Wort »Sparen« war eines seiner Lieblingswörter geworden. Ständig lief er mir in der Wohnung hinterher, schrie »Licht aus!« oder »Stecker raus!«. Selbst die Toilettenspülung sollte ich nur dann benutzen, wenn es wirklich dringend nötig wäre, so sagte er. Mich machte das wahnsinnig. So kannte ich meinen Vater gar nicht. In Kabul hatten wir überhaupt keinen Strom gehabt, und dort war mein Vater immer ein großzügiger Mensch gewesen.

Heute weiß ich, dass er sich damals für unsere Flucht von Ramin Geld geliehen hatte. Das Geld, das wir durch den Verkauf unserer Sachen – das Haus, die Teppiche, der Staubsauger und die Madonna – eingenommen hatten, hatte gerade einmal bis nach Kasachstan gereicht. Und da Vater in Deutschland als Asylbewerber nicht arbeiten durfte, war Sparen die einzige Möglichkeit, Ramin das Geld zurückzubezahlen. Ich aber fühlte mich einfach nur kontrolliert, eingeengt, gefangen.

Natürlich tat ich ihm unrecht: Vater hatte zumindest versucht, sich an Deutschland zu gewöhnen, sich in seinem neuen Leben einzurichten. Er liebte es, hoch oben über den Dächern von Kassel auf dem kleinen Balkon zu sitzen. »Zohre, hier oben ist die Luft so gut, dass ich keine Herzschmerzen mehr habe«, sagte er immer. Und wenn er das sagte, wich diese trübe Mattheit für einen Moment aus seinem Gesicht. Vater begann dort Kräuter zu pflanzen, die alle in kleinen Töpfen angeordnet standen: Pfefferminze, roter Pfeffer, Dill – und auch Tomaten. So viele, dass es unmöglich wurde, einen zweiten Stuhl für meine Stiefmutter auf dem Balkon unterzubringen. Die Tomaten waren ihm das Wichtigste. Mit prüfendem Blick und einer grünen Plastikkanne in der Hand untersuchte er jeden Tag die buschigen Pflanzen, freute sich darüber, wie schnell sie wuchsen. Die Tomaten wurden für ihn so wichtig, dass er sie bald auch im Wohnzimmer anpflanzte, zum Ärger meiner Stiefmutter. Wenn Verwandte, meine Brüder, Corinna oder auch meine Tanten zu Besuch kamen, war meiner Stiefmutter das schrecklich peinlich. Irgendwann hatten Vater und meine Stiefmutter sogar Streit deshalb. Und von da an wanderten die Tomaten ins Badezimmer, sobald sich Besuch ankündigte.

Sein Werkzeug bewahrte Vater in der Schublade seines Nachttischs auf, gleich neben seinem Bett. Fein säuberlich lagen Schraubenzieher, Nägel, Dübel griffbereit nebeneinander. Vater sagte, so bräuchten wir keine Handwerker zu bezahlen, er könne alles selbst reparieren. Das stimmte, das konnte er tatsächlich, auch wenn das Ikea-Regal, das wir für das Wohnzimmer gekauft hatten, bei ihm Wutausbrüche auslöste. Und am Ende stellte sich dann auch noch heraus, dass er es falsch herum zusammengebaut hatte.

Als Vater immer mehr Werkzeug ansammelte und nicht mehr alles in die Schublade passte, legte er Hammer, Zangen und Schraubenzieher auf den Nachttisch neben den Weltempfänger, mit dem er morgens versuchte, afghanische Nachrichten einzufangen. Und auf das Werkzeug legte er wiederum ein Kopftuch meiner Stiefmutter, damit es ordentlich aussah und sein Werkzeug kein Staub ansetzte. Denn für all dieses Werkzeug gab es nicht genügend Arbeit.

Deshalb saß Vater viel vor dem Fernseher. Und wenn ein Afghane in Deutschland tagsüber fernsieht und sonst nicht viel erlebt, ist das nicht gut. Denn das Deutschland, das Vater auf dem Bildschirm präsentiert bekam, zeigte ja nicht die Wirklichkeit. Diese Talkshows und Sendungen, in denen sehr eigenartige Menschen über sehr eigenartige und auch sehr intime Dinge redeten, stritten und sich dabei gegenseitig anbrüllten, beunruhigten ihn sehr. Für Vater waren diese Menschen bald »die Deutschen«: Sie hatten Tätowierungen, gefärbte Haare und gingen ständig fremd. Und die Tatsache, dass er nicht alles verstand, was dort gesagt wurde, schien es noch schlimmer zu machen. Am liebsten hätte er Salim und mich gar nicht mehr zur Schule geschickt. Dieses Land sei so eigenartig, sagte er.

Für mich bedeutete dieses Fernsehprogramm, dass Vater bald gar nichts mehr erlaubte. Selbst wenn ich mit Kira verabredet war, was selten genug vorkam, und er sich zuvor bei ihr vergewisserte, dass es wirklich Kira war, mit der ich mich traf, musste ich spätestens um sieben Uhr zu Hause sein. Und selbst wenn ich pünktlich um sieben Uhr zu Hause war, erntete ich vorwurfsvolle und misstrauische Blicke. »Wo warst du?«, fragte er dann, obwohl ich ihm immer sagte, wohin ich ging. Selbst der Schulsport wurde zu einem Problem. Denn das Basketballtraining war nachmittags und ging von fünf bis sieben Uhr, also war ich erst gegen halb acht zu Hause, was Vater nicht dulden wollte.

Doch ich setzte mich durch. Meine Lehrerin hatte mir erklärt, auch ein afghanisches Mädchen dürfe Basketball spielen. Und wenn es Probleme gäbe, würde sie mit Vater sprechen. Und das wollte Vater unbedingt vermeiden, denn er sprach immer noch kein Deutsch.

Strenger noch als Vater waren meine Brüder, vor allem Sayed. »Du musst auf sie achtgeben«, sagte Sayed zu Vater. Und wenn Sayed zufällig zu Besuch war und ich um sieben von Kira zurückkam, zischte er Vater zu: »Warum kommt sie so spät, verdammt?« Sayed kannte alle Afghanen, die in Kassel lebten, das behauptete er jedenfalls. Was würden sie sagen, wenn einer von ihnen seine Schwester so spät und allein auf der Straße sah?

Das Gerede der anderen war Sayeds größte Sorge. Deshalb durfte ich auch nicht mehr mit dem Fahrrad fahren. »Ein afghanisches Mädchen tut so etwas nicht!« Wie ich diesen Satz gehasst habe! »Pass auf sie auf, wir sind Afghanen, Papa, vergiss das nicht«, sagte Sayed jedes Mal, wenn er bei uns war. Und ich glaube, Vater bekam jedes Mal mehr Angst, dass wirklich etwas passieren könnte. Dass ich beispielsweise mit einem Deutschen gesehen würde. Dann hätte Sayed recht behalten. Und es hätte geheißen: »Warum hast du nicht aufgepasst? Wenn du schon nichts zu tun hast, kannst du doch wenigstens ein guter Vater sein!«

Ich verstand meine Brüder nicht, vor allem Sayed, der in Kabul der liebste und lustigste Bruder gewesen war, den man sich wünschen konnte.

Alles wurde noch schlimmer, als meine Eltern irgendwann doch andere Familien aus der afghanischen Gemeinde kennenlernten. Denn dort schien es nur ein Thema zu geben: die Kinder. Ob die Söhne studierten, wie viel Geld sie verdienten, welche Töchter kein Kopftuch trugen, wen sie geheiratet hatten oder auch wen sie nicht geheiratet hatten und damit ihrer Familie Schande brachten.

Einmal war ein afghanisches Ehepaar bei uns zu Besuch. Wir saßen alle im Wohnzimmer und tranken Tee. Ich kann mich deshalb so genau erinnern, weil der Mann – er hatte einen auffällig buschigen, grauen Schnäuzer – meinem Vater sagte, seine Frau gehe nicht ohne seine Söhne aus dem Haus. Was als Vorwurf zu verstehen war, denn meine Stiefmutter ging manchmal zum Einkaufen zu einem türkischen Gemüsehändler um die Ecke. Alleine. Und als meine Tante, die ebenfalls zu Besuch war, erzählte, der Tochter von Bekannten sei etwas zugestoßen, weil sie sich mit einem Deutschen eingelassen hatte, winkte der Mann ab. Recht hätten die Brüder, die das angerichtet hatten, sagte er: »Mutige Jungs sind das!«

Ich bekam plötzlich Schluckbeschwerden, mein Mund wurde so trocken, als kaute ich auf einem Wattebausch herum. Obwohl ich mich nie mit einem Deutschen getroffen hatte und es auch nicht plante. Was war, wenn irgendjemand einfach erzählte, er hätte mich gesehen, obwohl es gar nicht stimmte? Bis heute gibt es keine Beweise dafür, dass diese Jungen ihre Schwester umgebracht haben. Die Brüder wurden nie verhaftet. Und ich war verwirrt, weil ich nicht verstand, warum sie ihre Schwester ermordet hatten, nur weil die sich mit einem Deutschen traf. Wir waren doch in Deutschland! Hier gab es keine Taliban.

Aber heute glaube ich, gerade weil wir in Deutschland waren, wurden sie selbst zu Taliban.

Und dann passierte es ausgerechnet mir: Ich lernte einen deutschen Jungen kennen. Und zwar dort, wo ich nur Afghanen vermutet hatte. Ich war in einem afghanischen Chatroom im Internet. Mein Name war dort Setareh, ein Wort aus dem Persischen, es bedeutet »Stern«. Zunächst hatte ich die Beiträge nur gelesen, dann fing ich selbst an zu schreiben, was immer noch eine Herausforderung für mich war. Und es passierte oft, dass ich für eine Antwort so lange brauchte, dass sich die meisten schon wieder ausgeloggt hatten, wenn ich die Antwort losschickte. Aber da war ein Junge namens »Ali22«. Er antwortete genauso langsam wie ich. Wir verstanden uns gleich, schrieben uns schon bald in einem Nebenchat. Nur er und ich.

»Ali 22« hieß in Wirklichkeit Björn und war Deutscher: der einzige Deutsche in diesem Chatraum, da bin ich sicher. Björn lebte in Stuttgart und hatte begonnen, Orientalistik zu studieren. Daher konnte er auch ein wenig Farsi. Ich war erstaunt: Björn hatte viel über unsere Kultur gelesen. Und er – ein Deutscher – konnte mir mehr über die Russen, die Taliban und die Lage in unserem Land erzählen, als Vater es je getan hatte. Wenn Kira mit den anderen Mädchen unterwegs war, blieb ich wie immer zu Hause. Doch es war nicht mehr so schlimm für mich, ich hatte ja Björn. Und ich mochte ihn sehr: seine Geduld, mit der er jede meiner Antworten abwartete. Und seine ruhige Stimme, als wir uns zum ersten Mal zum Telefonieren verabredeten.

Ramin hatte mir ein Handy geschenkt, eigentlich sollten Vater, Sayed und Ramin so immer kontrollieren können, wo ich war. Nun rief Björn heimlich auf diesem Handy an. Mit der Zeit wurde er zu einem Freund, dem ich erzählte, wenn ich mit Vater Streit hatte oder in der Schule Probleme bekam. Wir schickten uns Fotos, und eines Tages fragte ich Björn, ob wir uns sehen könnten.

Ich hatte nämlich in einer Zeitschrift, die bei Kira herumlag, mein Horoskop gelesen. Und dort stand, dass ich jemanden treffen würde, der mein Leben völlig verändern könnte. Aber es müsste noch im September sein. Und bis Ende des Monats waren es war nur noch zwei Wochen.

Ich glaube nicht an Horoskope. Aber in diesem Moment passten diese Zeilen so sehr in mein Leben, dass ich an sie glauben wollte. Und so schlug ich Björn vor, mich so bald wie möglich bei Adel zu besuchen. Das war schließlich nichts Verbotenes. Bei Adel durfte jeder zu Gast sein, wenn er bezahlte. In keinem Fall wollte ich, dass wir uns alleine trafen. Was war, wenn uns irgendjemand beobachtete?

Wir hatten uns viele Fotos geschickt, doch als Björn in der Tür stand, sah er ganz anders aus, als ich ihn mir vorgestellt hatte. Er war größer und wirkte erwachsener. Björn trug einen grauen Anzug und darüber einen dunkelblauen Mantel, der vornehm aussah. Er war schon fünfundzwanzig und arbeitete in der Marktforschung. Jetzt kam er gerade von einer Dienstreise, erzählte er später. Ich fand Björn hübsch. Am liebsten mochte ich seine Augen, deren Blau unter dem blonden Haar besonders auffiel.

Ich war so nervös, dass ich gerade einmal ein »Hallo« hervorpresste. Björn schien es ähnlich zu gehen. Wir gaben uns die Hand, und nachdem Björn sich einige Male mit den Fingern durch die Haare gefahren war und wir nicht recht wussten, was wir sagen könnten, kam Adel uns zu Hilfe, bot Björn einen Platz an und brachte ihm eine Cola. An diesem Tag sprachen wir nicht viel miteinander, ich musste ja weiterarbeiten. Aber ich merkte, wie Björn mich beobachtete. Und als er sich verabschiedete, sagte er, er würde mich gern wiedersehen.

Seitdem besuchte mich Björn regelmäßig bei Adel. Und wenn ich nach der Arbeit noch Zeit hatte, gingen wir spazieren oder aßen ein Eis. Adels Gasthof lag weit genug von der Innenstadt entfernt. Dort fühlte ich mich vor meinen Brüdern einigermaßen sicher. Und anstelle von Adel brachte mich Björn jetzt nach Hause, immer nur bis zur Straßenecke, die man von den Hochhäusern aus nicht sehen konnte. Björn hatte ein Auto, lila-metallic mit einem großen Auspuff. Er hatte den Honda umgebaut, und jetzt sah er aus wie ein Sportwagen. Wenn Björn mich später von der Schule abholte, erkannte ich sein Auto schon, bevor es in die Straße einbog. Es röhrte wirklich ziemlich laut.

Björn kannte die Regeln, denn vor mir hatte er eine Iranerin zur Freundin gehabt. Wenn wir zusammen die Straßen entlangliefen, ging er ein Stück vor oder hinter mir. Wir durften uns auf keinen Fall berühren und am besten auch nicht miteinander reden. Selbst wenn wir glaubten, allein zu sein, hielten wir uns daran.

Irgendwann blieb Björn an den Wochenenden ganz in Kassel und mietete sich in einem Hotel ein, um in meiner Nähe zu bleiben – nur um mich dann für ein paar Stunden zu sehen. Das erste Mal nahm er ein Hotel direkt neben unseren Hochhäusern. Von seinem Zimmer aus konnte er zu meinem Fenster hinübersehen. Und nachts, bevor wir schliefen, schickten wir uns Lichtzeichen, das hatten wir so ausgemacht. Aus-An hieß: »Bist du noch wach?« Aus-An-Aus bedeutete: »Mir geht es gut.« Und Aus-An-Aus-An-Aus hieß: »Ich vermisse Dich.« An diesem Tag hatte mich Björn das erste Mal geküsst. Nur ganz flüchtig, beim Abschied, als er in das Hotel ging und ich nach Hause. Nur für den Bruchteil einer Sekunde berührten sich unsere Lippen. Als ich nach Hause lief, zitterte ich immer noch, so aufregend fand ich das.

Adel verriet uns nicht, und das war sehr mutig von ihm. Hätten meine Brüder herausgefunden, dass er über Björn Bescheid gewusst und geschwiegen hatte, weiß ich nicht, wem zuerst etwas zugestoßen wäre: Björn, mir – oder Adel. Doch Adel war mir ein guter Freund und schwieg. Er sagte auch dann nichts, als ich ihn bat zu lügen.

Ich hatte begonnen, ab und zu bei Adels Familie zu übernachten. Wenn ich Freitagabend und Samstagmorgen arbeitete, war es für Adel zu umständlich geworden, mich nach Hause zu fahren und wieder abzuholen. Vater vertraute ihm. Ich schlief im Zimmer von Adels Sohn, der schon erwachsen und so gut wie nie zu Hause war. Und Adels Ehefrau schmierte mir die leckersten Marmeladenbrote, bevor ich mit Adel zur Arbeit ging.

In der Nähe des Hauses lag eine Pension. Einmal mietete sich Björn dort ein. Adel wusste darüber Bescheid. Und ich blieb in dieser Nacht bei Björn. Meinem Vater erzählten wir, dass ich bei Adel übernachtet hätte.

Es ist nichts passiert. Zumindest nichts, worüber sich Vater hätte wirklich aufregen müssen. Als wir das Zimmer betraten, sagte Björn nur, ich solle keine Angst haben, er würde niemals etwas tun, was ich nicht wollte. Ich hatte ihm zu Recht vertraut. Björn streichelte mein Haar, ganz vorsichtig. Und irgendwann schlief ich einfach ein.

Seitdem ich Björn kannte, tat ich etwas Verbotenes. Und manchmal war ich Björn gegenüber ungerecht, herrschte ihn wegen jeder Kleinigkeit an. So als müsste ich ihn, vor allem aber mich selbst dafür bestrafen, dass ich mich mit ihm traf. Einfach aufhören, ihn nicht mehr sehen – das konnte ich nicht mehr. Wir kannten uns nun schon acht Monate. Ich war verliebt. Und sobald Björn nicht in meiner Nähe war, sehnte ich mich nach ihm und nach seinem Lachen, das so ungestellt war, so sorglos, nicht gequält wie meines. Zumindest hatte ich manchmal das Gefühl, wenn ich lachte, würde sich mein Gesicht verzerren. Ganz einfach, weil mir nicht zum Lachen zu Mute war.

Im Sommer besuchte uns Nessrin, meine zweitälteste Schwester, die in Kanada lebte. Ich hatte es kaum abwarten können, endlich würde ich sie wiedersehen! Wie lange war das her? Wir Kinder, Salim und ich, liebten Nessrin, denn sie war nicht so streng mit uns gewesen wie Mina. Nessrin hatten wir damals sogar erzählen können, wenn wir etwas ausgefressen hatten, ohne dass sie sofort zu Vater lief. Aber Nessrin hatte sich verändert. Die Zeit in Kanada hatte Nessrin verändert.

Die Afghanen dort lebten nach strengen Regeln, noch strenger als in Deutschland. Am Ende des Ramadan gingen wir alle zusammen zum Fastenbrechen in die Moschee, aber Nessrin genügte das nicht. In Kanada gingen sie während des Ramadan jeden Tag zur Moschee. »Morgens und abends«, sagte sie, und in ihrer Stimme lag ein Vorwurf. Nessrins Mann war in der Moschee sehr angesehen. Einmal, als Nessrin noch jünger gewesen war, hatte sie den Wunsch geäußert, das Kopftuch abzulegen, worauf ihr Mann aus Kanada wütend bei Vater anrief und drohte, wenn Nessrin das wahr machte, würde er sich scheiden lassen.

Vater gab ihm damals recht: »Nessrin hätte sich das vorher überlegen müssen.« Wäre sie in Kanada von Anfang an ohne Kopftuch herumgelaufen, dann wäre es nicht schlimm gewesen. So aber würde sie ihren Mann bloßstellen, weil es dann so aussähe, als würde sie ihm nicht gehorchen.

Ein bisschen verstand ich Nessrins Mann sogar. Denn wenn es schon Sayeds und Vaters größte Angst geworden war, dass man hier in Kassel über unsere Familie schlecht redete, wie mochte es dann erst im strengen Kanada sein. Es ging um Regeln, nicht um Religion. Ich fragte mich nur, warum die Afghanen so viel Energie, Kraft und Zeit darauf verschwendeten, diese alten Regeln einzuhalten. Warum sie ihre Zeit und Energie nicht nutzten, um die Regeln des neuen Landes zu lernen – und die Sprache.

Vielleicht waren Nessrin diese Regeln eine so große Last geworden, dass sie sie mit anderen teilen musste. Wer unglücklich ist, der achtet darauf, dass andere nicht zu glücklich sind. Sonst müsste er sich fragen, ob er etwas falsch macht. Nessrin lästerte gern, eigentlich über jeden, der nicht im Raum war. Ich hasste diese Art. Dieses Lästern, das wir afghanischen Frauen besonders gut konnten. Und obwohl Nessrin selbst das Kopftuch hatte ablegen wollen und es hier in Deutschland schließlich auch tat, konnte sie es nicht lassen, jedem von uns vorzuhalten, was er als Muslim, als Afghane, alles falsch machte.

Und natürlich war eines der ersten Dinge, die sie rügte,

mein Computer. Wie Vater dazu käme, zuzulassen, dass er in meinem Zimmer stand. Ihre Töchter dürften niemals einen Computer besitzen.

Auch die Freundschaft mit Kira verstand Nessrin nicht. Warum ich eine Deutsche zur Freundin hätte. Man konnte Nessrin schwer erklären, dass Kira keine Deutsche war. Und wenn Kira mich besuchen kam, was in diesen Wochen selten genug vorkam, dann lästerte Nessrin unverfroren mit meiner Stiefmutter in der Küche über sie. Dieses Mädchen hätte kein Benehmen. Sie sei dick und trinke zu viel Mineralwasser, das wir bezahlen müssten. Und wenn ich das mitbekam und genervt die Augen verdrehte, hieß es, ich sei frech geworden. Dabei gehörte die Gastfreundschaft doch zu den wichtigsten Regeln der Afghanen, das hatte uns Vater zumindest immer gesagt.

Als dann noch mein Onkel Mohammed, den ich im Zug nach Moskau getroffen hatte, aus Stockholm anrief, überschritt Nessrin eine Grenze. Mohammed meldete sich selten, aber regelmäßig, vielleicht einmal im Jahr, um zu hören, wie es uns ginge. An diesem Tag nahm Nessrin das Gespräch an, weil sie einen Anruf von ihrem Ehemann aus Kanada erwartete. Sie schnaubte nur ein schroffes »Hallo« in den Hörer und drückte ihn mir in die Hand. »Dein Onkel!«, sagte sie, mit einem Gesichtsausdruck, in dem richtiger Hass lag. Ich hörte noch, wie sie wütend in die Küche stampfte und meine Stiefmutter gegen ihn aufstachelte. Der solle sich bloß nicht in unsere Familienangelegenheiten einmischen, er gehöre schließlich nicht mehr dazu.

Warum Nessrin diese Wut auf Mohammed hatte, weiß ich nicht. Wahrscheinlich nur, weil er der Bruder meiner

Mutter war. Meiner leiblichen Mutter, der anderen Frau meines Vaters. Und jede Erinnerung an sie schien wie eine Bedrohung für Nessrin zu sein.

Mir wurde in diesem Moment bewusst, dass auch Salim und ich eine Erinnerung an meine Mutter sein mussten. Wir sahen ihr nicht nur ähnlich, wir hatten auch ihren Charakter geerbt, zumindest sagte das meine Stiefmutter jedes Mal, wenn sie wütend auf mich war. Es war unser Onkel, den Nessrin da wegstoßen wollte. Und ich hasste sie in diesem Moment dafür.

Ich glaube, es war auch meine Mutter, die Nessrin in mir entdeckte. Und damit war meine Mutter der Grund, warum dieser Sommer so schwer erträglich für mich wurde. Alles, was ich für Nessrin tat, war zu wenig. Eine Familie halte zusammen, sagte sie. Und bleibe zusammen. Wie ich dazu käme, Kira sehen zu wollen und bei diesem Araber zu arbeiten, wenn sie, meine Schwester, schon mal zu Besuch sei. Das war natürlich auch praktisch. Nessrin liebte es, einzukaufen. Und ich sollte mit, weil ich die Einzige in der Familie war, die Deutsch sprach.

Ich sehnte mich nach Björn. Und ich war froh, als Nessrin nach einigen Wochen endlich wieder abflog. Doch leider blieb etwas von ihr zurück: Die Stimmung in der Wohnung war gereizt. Vater war so streng mit mir wie nie zuvor. Tagsüber knallte ich mit den Türen, nachts weinte ich so lange, bis irgendwann das ganze Kopfkissen nass war. Ich war wütend auf Vater, auf meine Brüder, meine Familie, mein Leben. Aber wenn ich Kira davon in der Schule erzählte, sagte sie nur: »Bleib tapfer!« Was sollte sie auch anderes sagen?

Dann kam der Anruf. Layia hatte in Kanada einen Mann für mich gefunden. Niemand sagte mir etwas davon, aber ich hörte zufällig, wie sich Mina und meine Stiefmutter darüber unterhielten. Wie konnten sie das nur tun? Ich stürmte in die Küche, meine Stimme überschlug sich: »Was soll das?« Mina streichelte mir hektisch den Arm. Ich solle mich beruhigen, es sei doch nur eine Idee. Sie sagte es gleich zwei Mal. Ich solle den Mann doch erst einmal kennenlernen. Doch ich kannte meine Familie: Für sie stand diese Heirat jetzt schon fest.

An dem Novembermorgen, an dem ich davonlief, ging ich einfach an der Bushaltestelle vorbei, an der ich jeden Morgen in den Bus zur Schule gestiegen war. Ich lief wie ferngesteuert, ich merkte nur, wie ich immer schneller wurde. Björn wartete an der Ecke. Als ich in sein Auto stieg, versuchte ich etwas zu sagen, aber es ging nicht.

Dabei hatte ich mich auf diesen Moment vorbereitet. In einem knappen Jahr würde ich achtzehn sein, den Hauptschulabschluss hatte ich gerade gemacht. Eigentlich wollte ich gern Flugzeug-Ingenieurin werden, nachdem ich das Praktikum, das wir von der Schule aus machen mussten, bei einer Flugzeugwartungsfirma in Calden absolviert hatte. Nur mit einem Hauptschlussabschluss ging das nicht, aber Vater hätte es sowieso nie erlaubt, dass ich studierte.

Ich hatte mit meiner Lehrerin gesprochen, ihr erzählt, was ich vorhatte. Sie nickte nur, fragte nicht etwa, was in mich gefahren sei, sagte nicht, ich solle mich doch zusammenreißen. Ich hatte sogar das Gefühl, sie verstand, warum ich von meiner Familie weg musste. Und das machte mich ein wenig sicherer, vielleicht doch das Richtige zu tun. Als ich ging, gab sie mir noch die Telefonnummer des Jugendamtes.

Das Heim, das sie mir dort genannt hatten, lag ausgerechnet in Calden, ganz in der Nähe des Asylbewerberheims, in dem wir gelebt hatten. Natürlich kannte ich das Mädchenheim. Früher, wenn Salim und ich nicht wussten, was wir mit unserer Zeit anfangen sollten, hatten wir die Mädchen dort heimlich beobachtet, wie sie hinter dem Zaun in Gruppen zusammenstanden und Zigaretten rauchten. Ausgerechnet dieses Heim, dachte ich. Dort würden mich meine Brüder als Allererstes suchen.

Die Frau, die mir und Björn die Tür geöffnet hatte, war freundlich und sprach in ruhigem Ton. Doch ich verstand sie nicht. Es war, als könnte ich kein Deutsch mehr verstehen – und schon gar nicht sprechen. Björn musste für mich auf Farsi übersetzen. Und ich sagte zu allem, was er mich fragte, Ja.

In meinem Kopf überschlugen sich die Gedanken. Wie konnte ich meiner Familie das antun? War ich denn verrückt geworden? Noch könnte ich zurück. Björn würde mich einfach an der Bushaltestelle absetzen. Oder an meiner Schule. Und Vater, Ramin, Sayed, meine Stiefmutter, Mina und Salim würden von dem hier nichts erfahren. Noch zwei Stunden, dann wäre es zu spät. Dann könnte ich nichts mehr rückgängig machen.

Ich bekam noch mit, dass Björn fragte, wie sicher es hier für mich sei. Und plötzlich war ich wieder klar, horchte auf. »Hier ist es sicher«, versuchte die Sozialarbeiterin uns zu beruhigen. Doch als Björn noch einmal, mit Nachdruck, fragte: »Wirklich sicher?«, da gab die Frau zu, dass sie nachfragen müsste. Sie sei neu hier, sagte sie. Ich wusste, dass ich die Antwort nicht abwarten musste. Ja, es habe Mädchen gegeben, die hier gefunden worden seien, sagte sie, als sie wiederkam. Und es habe Komplikationen gegeben, so nannte sie das. Es sei besser, ich ginge woanders hin.

Nach zwei Stunden etwa, Björn und ich saßen immer noch in dem kleinen, stickigen Raum, in dem ich das Gefühl hatte, der Sauerstoff würde so knapp, dass ich keine Luft mehr bekam – Björn versicherte, es wäre die Aufregung –, betraten endlich zwei Polizisten den Raum, um mich abzuholen.

Das neue Heim lag in einem Hinterhof, mitten in der Kasseler Innenstadt. Eine Art Geheim-Heim, das aussah wie ein Krankenhaus, versteckt hinter Bäumen. Niemand würde mich dort finden, versicherten die Polizisten. Doch ich traute ihnen nicht, obwohl das Haus von der Straße aus tatsächlich nicht zu sehen war. Diese Polizisten waren Deutsche. Sie kannten die Afghanen nicht. Afghanen waren schlau, wenn es um solche Dinge ging. Björn durfte nicht mit ins Haus. Er nahm mich in den Arm. »Wir telefonieren«, sagte er. Dann war ich allein.

Ich erinnere mich nicht mehr, wer mich zu meinem Zimmer brachte. Ich weiß nur noch, dass es ein langer Flur war. Und es war so still, dass ich meine Sohlen auf dem Linoleumboden tappen hörte. Das Zimmer teilte ich mir mit einer jungen Libanesin. Links mein Bett, dahinter ein kleines Waschbecken, rechts eine Schlafcouch, dort schlief die Libanesin, von der ich kaum etwas mitbekam. Die meiste Zeit verbrachte ich auf dem Bett, starrte an die Decke, dachte nicht einmal nach. Ich war vollkommen leer. Und wenn ich die Augen schloss, sah ich immer wieder Vater vor mir, wie er mich ansah und fragte: »Warum tust du mir das an?« Ich hatte Angst vor ihm und gleichzeitig große Sehnsucht.

Es lebten vielleicht zehn Mädchen auf der Etage. Sie waren alle so alt wie ich – und trotzdem waren sie anders. Ein Mädchen war ein großer Fan von Eminem, einem Rapper, von dem ich noch nie etwas gehört hatte. Sie war hier, weil sie versucht hatte, ihren Stiefvater zu ermorden. Eine andere hatte einen Freund, der selbst im Herbst noch kurze Hosen trug und viel älter war als wir. Und noch eine war von zu Hause weggelaufen; sie war von ihrem Vater vergewaltigt worden. Auch aus dem Heim lief sie immer wieder weg, verschwand nach dem Frühstück und wurde von Polizisten nachmittags wieder zurückgebracht. Die Haare waren verfilzt, und sie stank.

Einmal packten die Mädchen sie und zerrten sie unter die Dusche. Ich fand das übertrieben, warum ließen sie sie nicht einfach in Ruhe? Sie schien es schließlich zu mögen, so zu riechen, sonst wäre sie sicher freiwillig duschen gegangen, dachte ich. Eines der Mädchen erzählte, dass das Mädchen mit den filzigen Haaren in der Fußgängerzone bettelte. Wofür sie das Geld brauchte, weiß ich nicht. Wir bekamen immerhin Taschengeld, 2 Euro am Tag. Ich schenkte meine der Libanesin, damit sie sich Zigaretten davon kaufen konnte. Sie rauchte viel.

Wenn es draußen dunkel war, die anderen schon schliefen und das Licht der Hoflampe durch die Bäume Schatten an die Wand warf, lag ich wach. Immer wieder sah ich zum Fenster. Was war, wenn sie mich einfach holten? Über den Balkon einstiegen? In der zweiten Nacht stapelte ich alles, was sich verrücken ließ, vor die dicke Scheibe.

Björn besuchte mich, so oft es ging. Wir blieben auf meinem Zimmer, wo sollten wir auch hin? Ich durfte nicht rausgehen, und ich wollte auch nicht. Es hätte schon gereicht, wenn nur irgendein Afghane in diesem Moment am Haus vorbeigegangen wäre.

Und dann begann der Terror über das Handy. Ich hatte es angeschaltet, um für Björn erreichbar zu sein. Es klingelte – doch es war nicht Björn. Es klingelte ununterbrochen, auf dem Display standen die Nummern von Ramin, Sayed, Mina, meinem Vater. Ich ließ es einfach läuten, doch es nützte nichts. Sie schrien auf den Anrufbeantworter, beschimpften mich. Und sie drohten mir, es würde etwas Schlimmes passieren, wenn ich nicht sofort zurückkäme. Sogar Salim, mein kleinster Bruder, sagte Dinge, die mir sehr wehtaten, Dinge, die ich nicht wiederholen werde. Nur Vater versuchte ruhig zu sprechen, mich zu überreden, wieder nach Hause zu kommen. Mir würde nichts passieren. Aber ich glaubte ihm nicht.

Viel später erfuhr ich, dass es gut war, dass ich ihm nicht geglaubt hatte. Einer meiner Brüder, ich habe nie herausgefunden, welcher, plante, mich zu bestrafen, und zwar in der härtesten Form. Er wollte sich dafür rächen, dass ich ihn und die ganze Familie bloßgestellt hatte. Dass ich ihnen Schande gebracht hatte. Und einige Monate nachdem ich weggelaufen war, sollte es für meine Familie noch schlimmer kommen. Denn Vater wurde vor Gericht geladen und gewarnt, wenn mir etwas zustoßen sollte, würde man zuerst in der Familie ermitteln. Noch eine Beschämung für Vater. Aber auch wenn ich wusste, was das für Vater bedeutete, war dieser Beschluss für mich gut, denn ich fühlte mich ein klein wenig sicherer.

Mit jedem Tag in dem Heim wurde es wahrscheinlicher, dass sie mich finden würden, jedenfalls dachte ich das. Und mit jedem Tag wuchs meine Angst. Denn überall konnten Afghanen sein, die meine Familie kannten und die vielleicht doch von dem Geheim-Versteck für Mädchen wussten. Und dann war da dieses schreckliche Heimweh, das immer stärker wurde. Sie waren zu nah, ich musste weg von hier. Und auch weg von Kassel.

Ich war nicht die Einzige, die weg wollte. Die Heim-Mitarbeiter versuchten viele Mädchen in Wohnungen zu vermitteln. Und als ich darum bettelte, woanders hin zu dürfen, sagte die Heimleiterin, es gäbe einfach zu viele, die vor mir an der Reihe wären, ich müsste mich noch ein paar Monate gedulden. Bis dahin aber hätten sie mich gefunden, da war ich sicher. Noch am selben Tag rief ich Björn an. »Hol mich ab«, sagte ich. Und als die Heimleiterin für einen Moment nicht da war, packte ich meine Tasche und schlich hinaus.

Ich wartete in der Hofeinfahrt, hinter einem Busch. Björn hatte extra eine Wolldecke mitgebracht, damit ich ungesehen aus der Stadt kam. Ich legte mich auf den Rücksitz unter die Decke und verhielt mich ganz still.

Nur einmal noch hielt Björn, an einer Tankstelle. Ich blieb unter der Decke und hörte plötzlich Stimmen von Menschen, die an Björns Auto vorbeigingen. Menschen die mit Akzent sprachen, sodass ich wusste, dass es Ausländer waren. Mir wurde schlecht vor Angst. Erst kurz vor Stuttgart kroch ich unter der Decke hervor. »Wo fahren wir hin?«, fragte ich. »Zu mir«, sagte Björn.

Björn lebte noch bei seinen Eltern in Zuffenhausen, einem Stadtteil von Stuttgart. Er hatte im Erdgeschoss eine

Einliegerwohnung mit einem eigenen Eingang. Ein riesiges Bett, ein paar Bücherregale, ein Schreibtisch und eine Stereoanlage standen darin. Ich sah erst nur das Bett, ließ mich fallen und rollte mich ein, sodass ich ganz klein war und ganz für mich. Sodass mich jeder in Ruhe ließ, auch Björn.

KAPITEL 5

Es gibt Menschen, denen man niemals zurückgeben kann, was sie für einen getan haben. Man kann ihnen nur dankbar sein. Und das bin ich bis heute.

Björns Mutter nahm mich in den Arm und drückte mich an sich. Und Björns Vater strahlte dieselbe Ruhe aus, die ich an Björn so mochte. »Ist sie das Mädchen, wegen dem du jedes Wochenende wegfährst?«, fragte er halb Björn, halb mich, lachte und gab mir die Hand.

In den ersten Wochen verstand ich kein Wort von dem, was Björns Eltern miteinander sprachen. Ihr Schwäbisch hörte sich wie eine Fremdprache an. Alles war neu. Ich hatte schließlich noch nie in einer richtigen deutschen Familie gelebt. Ich kannte zwar Corinna und die Frau von Adel. Aber sie waren beide mit einem Muslim verheiratet, das war etwas anderes. Björns Mutter hatte kurze rote Haare, obwohl sie eine Mutter war. Und sie ging jeden Morgen zur Arbeit in ein Möbelgeschäft. Ich mochte sie sehr. Doch auch wenn sich Björns Familie um mich bemühte, so vermisste ich doch Vater, Salim, meine Stiefmutter, Mina, Ramin und Sayed. Und so sehr mich Björns Familie in ihr Leben ließ: Das Gefühl, meine eigene Familie damit zu verraten, wurde immer stärker. Oft blieb ich in Björns Zimmer und weinte vor Heimweh.

Verrückt war das. Denn gleichzeitig hatte ich solche Angst, dass ich nicht schlafen konnte. Vor Björns Zimmer waren viele Sträucher und Büsche. Ich stellte mir vor, wie sich meine Brüder dort versteckten und mich beobachteten. Und irgendwann hatte ich auch Björn mit meiner Angst angesteckt. Er legte sich tatsächlich abends, wenn wir schlafen gingen, eine Machete neben das Bett.

Ich weiß nicht mehr, ob es nur ein Geräusch war, das von draußen kam. Es war nachts, die Rollläden waren heruntergelassen und ich konnte nichts sehen. Aber ich meinte zu spüren, dass dort jemand ganz nah am Fenster stand. Ich stieß Björn an, flüsterte in sein Ohr: »Da ist jemand.« Björn war sofort hellwach. Einfach nachsehen, das hielten wir für keine gute Idee. Und die Eltern wecken war auch nicht besser, was konnten sie schon ausrichten, falls es wirklich meine Brüder waren? Björn rief die Polizei. Die beiden Polizisten, die kurze Zeit später eintrafen, suchten den ganzen Garten mit Taschenlampen ab, fanden aber nichts. Einer der beiden sagte noch, sie hätten in der letzten Zeit Anrufe bekommen, es gäbe Spanner in der Gegend, was mich tatsächlich ein wenig beruhigte.

Nicht auszudenken, wenn meine Familie wüsste, wo ich war – und bei wem: einem Mann, dazu noch einem Deutschen. Vielleicht wäre es weniger schlimm, wenn ich nicht neben Björn im Bett läge, wenn sie mich fänden. Das dachte ich oft. Und wenn die Angst besonders schlimm wurde, lief ich die Treppe hinauf in die Wohnung der Eltern und legte mich zu Björns Mutter, die mich dann einfach nur in den Arm nahm. Ich schlief viele Nächte bei ihr im Bett. Dort, im ersten Stock, in ihren Armen, fühlte ich mich am sichersten. Einer Frau, dazu noch einer Mutter, würden sie nichts tun, das wusste ich.

Diese ständige Angst! Björn war geduldig mit meinem Heimweh und der Angst, versuchte mich zu überreden, mit ihm spazieren zu gehen, um mich abzulenken. Ich müsste an die frische Luft, sagte er, das mache gute Laune. Das sah ich ein. Doch schon nach wenigen Schritten bekam ich Panik, wurde fast wütend auf ihn und wollte zurück. Auch Björn konnte schließlich nicht wissen, ob sich hier Afghanen herumtrieben. Überall konnten sie sein. Und ich sollte recht behalten.

Ich versuchte, der Mutter in der Küche zu helfen, und kochte, manchmal auch zusammen mit Björns Vater, der eine wunderbare Hühnersuppe machte. Wenn ich allein kochte, meistens sonntags, gab es afghanische Gerichte, denn schwäbisches Essen, das hatte ich nun oft genug ausprobiert, mochte ich nicht besonders. Zum Glück liebte Björns Familie afghanisches Essen, vor allem die Großmutter. Sie kam jeden Sonntag, und Björn fiel auf, dass sie eigentlich erst regelmäßig kam, seitdem ich das Essen kochte. Und danach machte sie tatsächlich immer ein sehr zufriedenes Gesicht. Ich mochte es, mich um Björns Oma zu kümmern. Manchmal feilte ich ihr die Nägel oder färbte ihr kleine Strähnchen in das graue Haar, was ihr besonders gut gefiel. Meine Großmütter in Kabul hatte ich nie kennengelernt.

Wieder vergingen Wochen. Es war Dezember, bald kam Weihnachten, mein erstes richtiges Weihnachtsfest! Schon in Kabul hatte ich von Weihnachten gehört. »Christmas«, so nannten wir das. Ich kannte Jesus und wusste, dass an

Weihnachten seine Geburt gefeiert wurde – im Islam gibt es Jesus schließlich auch. Allerdings hatte ich gedacht, dass es in Europa wirklich Weihnachtsmänner gäbe, mit einem Schlitten, der von Rentieren gezogen wurde und durch die Luft flog. Das Beste daran fand ich, dass sie Geschenke verteilten. Ich kannte das aus den Videos von Ramin. Und ich bedauerte immer, dass es so etwas im Islam nicht gab.

Später, in Kassel, hatte ich immer versucht, meinen Vater zu überreden, an Weihnachten einen Baum in die Wohnung zu stellen, so wie es alle Leute in Deutschland taten. Doch Vater schüttelte stumm den Kopf. In unserer Wohnung wurde nur die Lichterkette, die mit den bunten Lämpchen, die Ramin uns mal gekauft hatte, ans Fenster gehängt, mehr nicht.

Jetzt feierte ich richtige Weihnachten, mit einer richtigen europäischen Familie. Am Nikolaustag bin ich mit Björn über den Weihnachtsmarkt geschlendert. Es war das erste Mal, dass ich überhaupt mit Björn in die Stadt ging. An einem der Stände entdeckte ich eine Puppe mit einem rosafarbenen Kleid und einem Gesicht aus Porzellan. Ich hatte noch nie eine Puppe besessen. Als kleines Mädchen hatte ich mir immer eine Puppe gewünscht: blond und mit einem schönen Abendkleid. Genau so eine, wie ich sie später auch in Russland auf dem Basar gesehen hatte. Natürlich erwähnte ich Björn gegenüber die Puppe an dem Stand nicht. Sie war teuer. Und was sollte Björn von mir denken? Eine Siebzehnjährige, die sich eine Puppe wünscht? Aber Björn hatte mich genau beobachtet. Und einen Tag später überraschte er mich mit dieser Puppe. Sie sitzt heute noch in meinem Zimmer.

Am Tag vor dem Heiligen Abend, draußen hatte es geschneit und ich war ziemlich aufgeregt, durfte ich mit Björns Mutter den Baum schmücken. Sie hatte sehr viel Christbaumschmuck, den sie in kleinen und größeren Holz-Schachteln gelagert hatte und den sie jedes Jahr wieder aus dem Schrank holte. Ich staunte über so viel Glitzer. Und sie zeigte mir, wie man die Kugeln, Figuren und Strohsterne aufhängt, an ganz feinen goldenen Drähten. In diesem Moment vergaß ich sogar meine Angst, so friedlich schien alles zu sein. Und als wir dann alle unter dem Weihnachtsbaum standen und sangen, dachte ich, irgendwann würde ich meine Familie wiedersehen, und dann würde ich mit ihr auch Weihnachten feiern. Wir würden alle zusammen unter dem Baum sitzen und Geschenke auspacken. Und Vater würde eine Zigarre rauchen.

Allein wegen Nazima und Ali – mein Neffe und meine Nichte sollten auch ein richtig deutsches Weihnachten feiern dürfen, fand ich. Nach dem Essen packten wir die Geschenke aus. Für alle, auch für die Oma. Von ihr bekam ich eine Weihnachtskarte mit einem 20-Euro-Schein darin.

An diesem Heiligen Abend aber beschloss ich, dass ich etwas ändern würde. Irgendwie musste mein Leben weitergehen, ich konnte ja nicht ewig in Björns Zimmer bleiben oder kochen. Also begann ich Björn nun öfter in die Stadt zu begleiten. In der Fußgängerzone sah ich mich ständig um. Ich blieb vorsichtig. Aber ich ging jetzt einkaufen oder mit Björn ins Kino.

Ich lernte sogar schwimmen – in einem richtigen Badeanzug. Björn und ich hatten ihn zusammen gekauft, und ich war ziemlich stolz, einen Badeanzug zu besitzen, er war himmelblau. Wir gingen in ein Thermalbad, in dem das Wasser warm war. Ich war überzeugt, in kaltem Wasser würde ich niemals schwimmen lernen. Wir Afghanen sind nun mal wasserscheu, und die Vorstellung, freiwillig in kaltes Wasser zu steigen, war für mich absurd. Doch Björn blieb hartnäckig. Und so standen wir in dem hüfthohen Becken, und Björn zeigte mir, wie ich einatmen und wieder ausatmen sollte, wie man die Arme und die Beine bewegt. Und dann hielt er mich fest und ich sollte die Bewegungen nachmachen. Es war wunderbar, ich war auf einmal so leicht und ganz euphorisch, obwohl ich sicher war, wenn er mich loslässt, würde ich untergehen. Tatsächlich ging ich noch ziemlich oft unter, wie ein Stein, was mir vor Björn ein wenig peinlich war. Doch irgendwann klappte es. Und beim zweiten Mal übten wir schon das Tauchen. Meine Haare waren unter Wasser ganz weich und schwebten. Danach schlug Björn vor, meinen Erfolg in einem Restaurant zu feiern. Wir bestellten Spaghetti. Gerade als ich die erste Gabel in den Mund schob, schoss plötzlich Wasser aus meiner Nase. Es war richtig viel, wie aus einem Wasserhahn. Ich hatte beim Tauchen vergessen, durch die Nase auszuatmen, stellte Björn fest. Der Schwall landete mitten in unserem Essen. Wieder sehr peinlich! Aber Björn lachte nur.

Ich hatte nicht vergessen, was das Mädchen damals in dem H&M-Laden zu mir gesagt hatte: Ich sei schön und ich könnte damit Geld verdienen, ich müsste nur Fotos von mir machen lassen. Und ich dachte, wenn in Kassel ein Fotograf Bilder von mir machen könnte, dann müsste das auch in Stuttgart möglich sein. Stuttgart war größer als Kassel. Björn sagte, ich sollte es wenigstens versuchen.

Ich fand den Fotografen im Internet. 1800 Euro wollte

er für die Sedcard, eine Art Bewerbungsmappe, mit der man sich bei Magazinen, Agenturen und Fotografen bewirbt und die ich dringend bräuchte, um als Model zu arbeiten, sagte der Fotograf. Er war bekannt, hatte sogar schon Fanta 4, die Ärzte, Westernhagen und Verona Pooth fotografiert. Und er traute mir zu, dass ich das könnte, Geld verdienen mit Fotos. »Du bist ein Typ«, sagte er.

1800 Euro – so viel Geld hatte ich nicht. Aber der Fotograf bot mir an, die Bilder in Raten zu bezahlen. Ich war einverstanden, denn ich wollte diese Fotos unbedingt.

Wir trafen uns noch einmal, um zu besprechen, wie die Fotos gemacht werden sollten. Und der Fotograf erzählte uns ziemlich lange, wie »cool« das Mode-Business sei und wie viel Geld man damit verdienen könne. Er musterte mich für einen Moment und sagte: »Wenn du Erfolg haben willst, musst du lachen lernen. Locker sein, entspannt! Cool sein«, das sei »Fashion«, so nannte er das. »So wie du jetzt guckst, wirst du es nicht schaffen«, sagte er noch. Und mir wurde klar, wenn sich etwas ändern sollte, musste als Allererstes ich mich ändern.

Und so habe ich wieder mit dem Lachen begonnen. Anfangs war ich dabei ein bisschen zu laut, sodass es mich selbst ein wenig erschreckte. Aber die Fotos waren von Beginn an gut.

Lachen sollte also kein Problem mehr sein, das wollte ich trainieren. Aber da war mein illegaler Status. Ich war Asylbewerberin. Ich durfte gar nicht arbeiten. Und sich fotografieren zu lassen, um damit Geld zu verdienen, das war Arbeiten. Um eine Erlaubnis zu bekommen, das hatte ich herausgefunden, musste man einen Auftraggeber haben. Um den zu finden, musste man eine Arbeitserlaubnis haben. Immer wieder fuhren Björn und ich deshalb nach Kassel. Ich lag immer auf dem Rücksitz unter der Decke. Und mit dem Ausländeramt vereinbarte ich Sondertermine, nachmittags, wenn eigentlich schon geschlossen war. Auf diese Weise warteten keine Ausländer mehr in den Fluren, unter denen immer einer sein konnte, der meine Familie kannte. Irgendwann bekam ich endlich das Papier. Ein Ausnahmepapier. Dort stand, dass ich modeln durfte. Nur modeln, nichts anderes, aber das reichte mir.

Man musste nicht einfach nur lachen und schön sein, »cool« und locker. Man sollte auch auf eine bestimmte Art gehen können, Für Modenschauen war das Voraussetzung. Und für Fotos musste man »posen«, was mir anfangs schwerfiel. Sich rekeln, durch die Haare fahren, »sexy sein«. Und das alles auch noch vor anderen Menschen. Ich hatte immer Vater vor Augen. Was würde er sagen, wenn er mich so sähe? Auf Pumps und in einem kurzen Rock, lachend, vor Männern mit Kamera und Scheinwerfern.

Vor allem aber musste man sich, wenn man Model war, in der Szene auskennen. Ich kannte mich gar nicht aus. Und Björn auch nicht

Die Aufträge kamen schleppend. Für Haarmodenschauen, auch mal ein Werbeauftrag für einen Schuhmacher. Aber immerhin verdiente ich so ein bisschen Geld. Es gab eine Homepage, »model.de«. Dort gab es eine Abteilung für Anfänger, in die ich meine Fotos stellte. Einmal hatte ich dort eine Anzeige gelesen, für ein »Shooting«, so stand es dort, in der Schweiz. Der Fotograf hatte geschrieben, es ginge um eine große Produktion. Endlich! Björn fuhr mich hin. Als wir die Adresse gefunden hatten, die der Fotograf am Telefon genannt hatte, standen wir vor einem riesigen Wohnblock. Ich hatte mir ein Studio, in dem Bilder für eine große Produktion entstehen sollten, anders vorgestellt. Und auch Björn war skeptisch. Wir klingelten. Niemand öffnete. Wir klingelten noch einmal, und wir sahen, dass sich oben im sechsten Stock ein Vorhang bewegte, aber niemand öffnete. Und es ging auch keiner mehr ans Telefon. Wir warteten noch eine Stunde vor der Tür, dann stiegen wir wieder ins Auto und fuhren zurück nach Stuttgart.

Björn meinte, da stimmte etwas nicht. Wir hatten immerhin einen festen Termin. Und der Fotograf hatte versprochen, die Fahrt- und Hotelkosten zu übernehmen. Björn war stinksauer und beschloss, die Polizei zu informieren. Zwei Wochen später klingelte in Stuttgart das Telefon, es war die Schweizer Polizei. Wir hatten recht, da stimmte etwas nicht. In der Wohnung seien zwei Frauen vergewaltigt worden, sagte der Polizist. Der Mann aus dem sechsten Stock sei festgenommen worden.

Es war bei einem Casting in Ludwigsburg, einige Wochen später, als ich ihn sah: meinen Bruder Sayed mit einem Mädchen. Der Mann, den ich aus dem Fenster des Fotostudios beobachtete und der direkt auf mich zuzukommen schien, hatte Sayeds Größe, seine Muskeln, seinen Gang und seine Frisur. Er trug die Haare wie immer, im Nacken hochrasiert, so wie es alle Boxer in Kassel trugen. Und er hatte diese Armee-Hose an, die er immer anhatte. Ich erstarrte. Als er den Raum betrat, sah ich, es war nicht Sayed. Aber es war sein bester Freund, was nicht viel besser war.

Ludwigsburg lag viel näher an Stuttgart als an Kassel! Wie kam er hierher? Und was war, wenn er mich erkannte? Später hörte ich, dass seine Freundin auch Model werden wollte, deshalb war er dort. Ich hatte also recht behalten: Überall konnten Afghanen sein. Wir sprachen kein Wort miteinander, und ich versuchte, mich so unauffällig wie möglich zu verhalten, versteckte mich hinter den anderen Mädchen. Ich weiß bis heute nicht, ob er mich erkannt hat.

Mit niemandem aus Kassel hatte ich Kontakt gehalten, nicht einmal mit Kira. Hätte sie gewusst, wo ich war, dann hätten es meine Brüder aus ihr herausbekommen, das war sicher. Nur Adel und seine Frau wussten, dass ich in Stuttgart lebte. Adel war mir ein guter Freund geblieben, verstand, warum ich tat, was ich tat – auch wenn er ein Muslim war. Er würde mir helfen, wenn ich in Not wäre, das wusste ich.

Ein Jahr war es nun her, dass ich von meiner Familie fortgelaufen war. Ein Jahr hatte ich die Stimme meines Vaters nicht mehr gehört. Und an diesem einen Montag im März 2004, als ich in Adels Lokal stand, vor dem Telefon an der Wand, wollte ich ihn wiedersehen.

Ich war inzwischen achtzehn geworden, endlich volljährig, frei. Meine Familie, mein Vater, sollte mir erlauben, frei zu sein. Und Adel sollte mir dabei helfen.

Vaters Stimme am anderen Ende der Leitung hatte warm geklungen. Wir hatten nur ganz kurz gesprochen. Aber er wollte mich sehen, das hatte er eben am Telefon gesagt. Adel würde ihn in einer halben Stunde abholen und zu mir bringen. So hatte ich es mit Vater besprochen. Dann würden meine Brüder, die montags arbeiteten, zu wenig Zeit haben, um etwas zu organisieren, vielleicht ein Auto zu besorgen, das mich entführen würde.

Der Treffpunkt, den ich vorgeschlagen hatte, war gut überlegt: eine Siedlung, in der nur Deutsche wohnten, kleine Häuser mit spitzen Dächern und um jedes ein Zaun. Fernab von der Hauptstraße, wo die Busse fahren. Hier würde keiner unserer Nachbarn uns entdecken. Und wir hatten im Hochhaus viele Nachbarn: Deutsche, Albaner, Türken. In dieser Siedlung jedenfalls lebten auch viele Menschen, das war wichtig, es würde Zeugen geben, wenn doch etwas passieren sollte. An einer Straßenecke wartete ich, bis Adels roter Opel um die Ecke bog. Durch die Fenster sah ich das Profil meines Vaters. Das Auto hielt, er stieg aus und stand vor mir.

Er hatte sich nicht verändert. Diese lange, gerade Nase, der gepflegte Bart, seine Augen wie runde Nougat-Pralinen unter den weißen, buschigen Brauen. Alles war eben in diesem Gesicht. Bis auf die Grübchen, die hatten sich schon früh – da war ich noch ein Kind – zu Furchen vertieft. Er sah mich an, und ihm liefen Tränen über das Gesicht. »Was hast du mir angetan?«, fragte er. Mir gab das einen Stich. Ich habe Vater noch nie wegen mir weinen sehen. Ich habe Vater generell noch nie weinen sehen. Er nahm mich dennoch in den Arm. Und in meinem Hals wuchs ein Kloß, so dick, dass ich nur krächzen konnte: »Es tut mir leid!« Wir hielten uns lange fest, und er wiegte mich ein wenig, als wäre ich noch ein kleines Kind.

TEIL 3

KAPITEL 1

Und dann auch noch ein Jude! Warum musste ausgerechnet mir das passieren? Dabei hatte ich noch über ihn gelacht, als ich ihn kennenlernte, diesen Angeber. Sein T-Shirt hatte er falsch herum an, und um den Hals trug er eine Kette mit einem großen Davidstern. Er stand mitten auf der Tanzfläche in einem Club in Stuttgart und steckte sich eine Zigarette an, obwohl Rauchen verboten war. »Du denkst, du kannst dir alles erlauben, nur weil du ein Jude bist«, sagte ich zu ihm. Ich glaube, er wollte ganz besonders cool sein, in seiner viel zu großen Hose. Er hieß Robert und war mit einem Freund zusammen da, der in seinen ausgelatschten Turnschuhen aussah wie ein Ökobauer. Und eigentlich waren sie ja auch ziemlich cool. Natürlich gab ich ihm meine Telefonnummer nicht. Aber er gab mir seine. Und am übernächsten Tag rief ich ihn an.

Ich lebte inzwischen in einem kleinen Zimmer in der Stuttgarter Innenstadt. Björn und ich waren seit vier Jahren getrennt. Es war irgendwann Zeit geworden. Zu sehr hatte ich ihn gebraucht. Und jetzt musste ich mein eigenes Leben leben, nicht Björns. Ich glaube, Björn hat es verstanden. Es gibt Menschen, denen man niemals zurückgeben kann, was sie für einen getan haben. Für mich war das vor allem Björn. Ich war sehr traurig damals. Aber bis heute sind Björn und ich enge Freunde geblieben.

Robert und ich kannten uns gerade einen Monat, als er mich wie beiläufig fragte: »Hast du Lust, mit mir nach New York zu gehen?« Es war einer dieser Nachmittage, an denen wir nicht genug voneinander bekommen konnten. Natürlich wollte ich! Ich hatte immer schon nach New York gewollt. Nur war ich Afghanin. Und alle hatten immer gesagt, mit meinem Pass würde ich niemals nach New York reisen. »Ich bekomme kein Visum«, sagte ich, auch wie beiläufig. Und Robert sagte: »Ich kümmere mich darum.«

Robert studierte Betriebswirtschaft und wollte in New York ein Praktikum bei »Marsh« machen, einem Versicherungsunternehmen. Er hatte sein Visum längst. Für meines fuhren wir dann extra für einen Tag zum U.S.-Konsulat nach Frankfurt.

Um das Gebäude war ein hoher Zaun, davor standen Wachen in Militäruniform – und überall waren Kameras. Vor dem Eingang hatte sich eine lange Schlange gebildet, in der bestimmt vierzig Menschen warteten. Der Anblick machte mir nicht gerade Mut. Aber nach zwei Stunden war auch ich endlich an der Reihe.

Der Mann hinter dem Schreibtisch fragte, was ich in New York wollte. »Mit meinem Freund seinen Vater besuchen, der in New York lebt«, sagte ich. Er fragte ziemlich viel, auch, ob ich eine Terroristin sei. Ich sagte: »Nein.« Am Ende schien ich es gut gemacht zu haben, denn er sagte nur noch: »Ich wünsche Ihnen eine gute Reise.« Jeden Tag sah ich in meinen Briefkasten. Und irgendwann lag endlich der Umschlag darin, der mir so vertraut war, weil die Adresse darauf mit meiner eigenen Handschrift geschrieben war. Ich riss ihn auf. Im Umschlag lag mein Pass. Und darin war mein Visum!

Mein Vater schüttelte den Kopf, ganz langsam, wie fassungslos. Ich hatte ihm nie erzählt, wenn ich in andere Länder flog, um dort zu arbeiten. Vater und ich hatten das so abgemacht; er wollte einfach nicht alles erfahren. Und ich wollte nicht alles erzählen. Von Robert erzählte ich auch nichts. Aber Amerika, das war dann doch etwas anderes.

Vater mochte Amerika nicht. Viele ältere Afghanen mochten es nicht. Obwohl sie eigentlich nicht viel über Amerika wussten. Wir Afghanen sagten nie »Vereinigte Staaten« oder »USA«. Wir sagten nur: »Amerika«. England mochten Afghanen übrigens auch nicht. Aber auch das kannten die meisten nicht. Das Land, für das fast alle Afghanen schwärmten, war Deutschland. Und auch das kannten sie nicht wirklich.

Wenn Zeit verstreicht, blicken Menschen milder auf die Dinge, die Wut verraucht, weicht einer Sehnsucht nach Ruhe. Als mich Vater an jenem einen Montag im März 2004 so fest in den Arm genommen hatte, wusste ich, dass meine Brüder ihm irgendwann folgen würden. Wir Afghanen sind so. Wenn ein Vater sagt: »Das ist schwarz«, dann sagen alle: »Das ist schwarz«. Und bei Weiß wäre es genauso. Es hatte dennoch sehr lange gedauert, bis wir wieder Frieden miteinander hatten. Und noch viel länger, bis meine Brüder mich und mein neues Leben akzeptieren konnten.

Ich glaube, die größte Sorge, die Vater das Wort »Amerika« bereitete, war die, dass ich einfach dort bleiben könnte. Andererseits war er auch stolz auf mich, selbst wenn er es nicht zeigte, da bin ich sicher. Stolz wie damals in Kabul, als ich so unbedingt lesen und schreiben lernen wollte und er einen Lehrer bezahlte, der mich zu Hause unterrichtete. Nur mich. Kein anderes Mädchen aus der Familie hatte lesen und schreiben gelernt. Und ich meine, in dem Moment, als ich ihm von Amerika erzählte, sah ich in seinen Augen ganz kurz ein Leuchten.

Ich hatte einen Taschenkalender mit einer Weltkarte, in den ich meine Termine notierte. Die Weltkarte brauchte ich nie. Doch an dem Morgen, als ich endlich mein Visum in der Hand hielt, nahm ich meinen Stift und machte auf der Karte kleine Punkte dort, wo ich in meinem Leben schon gewesen war. Ich verband die Punkte mit Linien und machte auch einen Punkt dort, wo New York liegt. Und dann zog ich eine dicke Linie von Stuttgart dorthin. Ich hielt den Kalender ein wenig von mir weg und rief laut: »Wahnsinn!«

New York, das war Amerika! Das war wirklich der Westen. Und dort war nicht nur Robert, dort waren auch die Agenturen, die nicht immer nur darauf achteten, dass man aussah wie eine Wasserleiche, so blass. Wo auch ein Mädchen mit Busen über den Laufsteg gehen konnte. Wo die Regeln anders waren.

KAPITEL 2

Ich arbeitete jetzt vier Jahre als Model und davon ein Jahr in Paris. Ich wusste, welchen Typ sie dort suchten. Unser Münchener Agent hatte uns noch geholfen und bei französischen Agenturen für uns Termine gemacht. Anfangs waren wir zu viert: Sarah, Natalia, noch eine Brasilianerin, deren Namen ich nicht mehr weiß, und ich. Wir waren auf der Fahrt so aufgeregt, dass wir ununterbrochen redeten. Und als wir ankamen, waren wir schon fast wie Freundinnen. Die Agentur hatte uns Zimmer in einem billigen Hotel gebucht, wir mussten es schließlich selbst bezahlen. Uns war das egal, wir kamen sehr spät an und am nächsten Morgen mussten wir auch schon direkt los zu den Agenturen.

Und auch wenn es nicht mein erstes Casting war – oder vielleicht gerade deshalb –, war es kein schönes Gefühl, neben den anderen Mädchen zu stehen und von fremden Menschen begutachtet zu werden, die sich dann über einen unterhielten, als wäre man gar nicht da. Und die dann am Ende nur sagten: »Die da nehmen wir, und die dort ist nichts.«

Sarah und die Brasilianerin hatten Glück. Sie kamen gleich bei einer guten Agentur unter. Natalia und mich wollten sie nicht. »Die ist nichts«, diesen Satz hörten wir beide an diesem Tag noch ein paar Mal. Und als er endlich zu Ende war, dachte ich nur: »Scheiße.«

Am zweiten Tag nahm uns dann doch eine Agentur auf. Sie war allerdings kleiner und eher unbedeutend. Vor allem Natalia – sie hatte gerade erst mit dem Modeln begonnen – war enttäuscht. »Wenn wir von denen kommen, interessiert sich doch keiner mehr für uns«, sagte sie abends, als wir hundemüde in meinem Zimmer saßen. Und auch ich war ziemlich zerknirscht.

Die ersten Wochen in Paris hatten wir viel zu tun – auch wenn die Angebote schleppend kamen. Jeden Morgen holten wir bei der kleinen Pariser Agentur unseren »Casting-Call« ab, eigentlich nur einen Zettel mit Uhrzeiten und Adressen. Und dann rannten wir los, jede zu einem anderen Casting. Jeden Tag früh raus, schnell schminken, zur Metrostation hetzen, rein in den Waggon, durchs Gewühl quetschen, immer zu spät dran. Es gab so viele Metrolinien kreuz und quer, dass ich manchmal ewig vor den Plänen stand. Wir schwitzten in unseren Mänteln in den unterirdischen Gängen, während oben, draußen, ein kalter Wind blies. Dann wieder laufen, suchen, fragen nach den komplizierten französischen Adressen. Und immer die dicke Tasche um die Schulter mit dem Portfolio, den Schminksachen und den Schuhen mit so hohen Absätzen, dass man es in ihnen nicht länger als eine Stunde aushielt.

Oft hatten wir mehrere Castings am Tag. Und bei jedem Casting musste man frisch aussehen, um dann ziemlich lange zu warten. Und Hunderte andere Mädchen warteten mit.

Im Grunde läuft jedes Casting ähnlich ab. »Danke. Wir melden uns«, heißt es danach. Man wartet ein paar Tage, dann noch eine Woche, und manchmal passiert es wirklich, dass man angerufen wird. Oder bei deiner Agentur liegt eine Nachricht.

Einmal konnte ich es kaum fassen, als ich die Nachricht gelesen hatte. Ich rannte die Treppe zu unserem Zimmer hinauf, stürzte auf Natalia zu: »Sieh mal, ich habe ein Casting bei Chanel!« Ich zeigte ihr das Booking-Paper, hielt es ihr so nah vors Gesicht, dass sie es erst kaum lesen konnte. Natalia sagte: »Zohre, das ist nicht Chanel. Das ist Channel 1, ein Fernsehkanal«. Ich war ziemlich enttäuscht. Aber wir waren Steher, wir würden es irgendwann schaffen.

Das Hotel, in dem wir am Anfang übernachtet hatten, war auf die Dauer zu teuer, und das Apartment, das die Agentur den Models bereitstellte, war belegt.

Wir ahnten schon, dass es nicht einfach würde – dass es unmöglich war, in Paris ein günstiges Apartment zu finden, wussten wir noch nicht. Zum Glück sprach Natalia ein bisschen Französisch, und so kauften wir uns jeden Tag gleich mehrere Zeitungen und stürzten uns auf die Annoncen.

Irgendwann fanden wir doch ein Zimmer, in St. Denis, einem Vorort von Paris. Ein Tunesier, der dringend Geld brauchte, überließ uns für 50 Euro die Woche sein Zimmer und zog zu einem Freund. Die Couch konnte man ausziehen, sodass Natalia und ich zusammen darauf schliefen. Was nicht so ganz leicht war, denn ich trat nachts mit den Füßen. Und Natalias Magen gluckerte ziemlich laut. »Natalia«, sagte ich dann, »dreh dich auf die andere Seite. Du knurrst.«

Das Gute an Paris waren die Shrimps, die von Karren an der Straße angeboten wurden, denn sie waren günstig. Ich kaufte dazu Kichererbsen in Dosen. Und auch Natalia fand, sie machten satt, waren schnell fertig und schmeckten gut. Und so aßen wir fast jeden Abend Shrimps mit Kichererbsen. Danach fielen wir wie erschlagen auf die Couch.

Es waren viele Models in der Stadt, vor allem russische, das fiel auf. Sie waren wirklich besonders schön und auch besonders jung. Deshalb wunderte ich mich auch, dass mich endlich, nach einigen Wochen, eine russische Fotografin buchte, für drei Tage und richtig viel Geld. Vielleicht hatte sie ja in meiner Mappe die Bogner-Werbung mit der russischen Pelzmütze entdeckt. Mit Russen war das immer so eine Sache, das dachte ich zumindest. So sagte ich gleich: »Nacktaufnahmen mache ich auf keinen Fall.« Die Fotografin sagte: »Die Bilder werden sexy sein, aber du wirst immer etwas anhaben.« Das fand ich okay.

Die anderen Mädchen waren ganz aus dem Häuschen gewesen: »Du fliegst nach Cannes!« Nur – was war Cannes? Ich hatte noch nicht einmal eine Vorstellung von Südfrankreich. Alle schwärmten mir vor; sie sagten, man treffe dort interessante Menschen, und viele seien reich.

Warme, feuchte Luft schlug mir entgegen, als ich zusammen mit der Fotografin, mit der ich im Flieger gesessen hatte, in Nizza die Treppe vom Flieger herunterstieg. Am Ausgang wartete ein Fahrer in einem frisch gebügelten Hemd und mit einem Schild, auf dem unsere Namen standen. Die ganze Fahrt über sah ich Palmen, die die Straße säumten, und immer wieder auch das blaue Meer.

Das erste und letzte Mal, dass ich ein Boot gesehen hatte, war auf unserer Flucht. Dieses Boot, auf dem wir schlafen sollten, war tatsächlich so riesig wie ein Hotel und dazu auch noch schneeweiß. Ich war beeindruckt. Vor dem Steg, der zum Boot führte, standen Männer in hellblauen Hemden und Krawatte. Sie wirkten förmlich, was mich sicher machte, das hier war nicht wie damals in der Schweiz. Einer von ihnen brachte mich zu meinem Zimmer.

Zwei große Betten, ein riesiger Flachbildschirm und eine Dusche aus Marmor – und das auf einem Boot! Die runden Fenster lagen zur Hälfte unter Wasser. Ich konnte also über das Meer sehen und gleichzeitig hinein. Wie wunderbar! Ich legte mich sofort auf eines der Betten, hörte das Wasser dumpf unter dem Schiffsrumpf gluckern und wäre fast eingedöst, als ein Mädchen an die Kabinentür klopfte: Mia. Sie kam aus dem Senegal und war meine Zimmergenossin.

Zum Abendessen sollten wir uns in einem Salon zusammenfinden, ganz vorne im Schiff. Etwa zehn Mädchen in Abendgarderobe saßen schon um den langen Tisch herum, auf dem große Schalen mit Melonen, Ananas und Äpfeln standen. Und Hummer, der in einem Zitronenbett lag, und dazu lauter kleine Schüsseln mit verschiedenen Soßen und Gemüse. Wir sahen, glaube ich, etwas betreten drein, Mia und ich, denn auf so etwas waren wir nicht vorbereitet: Ich hatte meine Jogginghose anbehalten und war dazu noch barfuß – und Mia trug Jeans. Und ich wurde plötzlich so nervös, dass ich zur Begrüßung jedem einzeln die Hand gab und jedes Mal sagte: »Hello, my name is Zohre. Nice to meet you.«

Ich setzte mich neben die Fotografin, die ich als Einzige in der Runde kannte. Auf der anderen Seite neben ihr saß ein Mann um die Vierzig. Er hatte ein braun gebranntes Gesicht, klare Züge, und seine Augen schienen alles zu verfolgen, was um den Tisch herum passierte. Vor allem meine Versuche, der Russin gegenüber mit wilden Gesten zu erklären, dass es mir schmeckte, schienen ihn zu amüsieren. »David, das ist das Mädchen aus Afghanistan, von dem ich dir erzählt habe«, sagte die Fotografin und deutete auf mich; dann sprachen die beiden weiter auf Russisch.

Der Hummer schmeckte fantastisch. Doch auch wenn er schmeckte und ich gerade den ersten Hummer meines Lebens verspeist hatte, wurde mir auf einmal flau. Und dann richtig übel. Ich lehnte mich zur Fotografin sagte: »Um mich herum schwankt alles.« Ich hatte noch nie Alkohol getrunken, und auch an diesem Abend trank ich nur Wasser.

Ich stand vorsichtig auf, ging in meine Kabine und rief meine Agentur in Deutschland an. »Seid ihr sicher, dass die hier in Ordnung sind?«, fragte ich. Ich glaubte fest, mir hätte jemand Alkohol oder Drogen ins Glas gemischt, zumindest fühlte es sich so an. Aber die Agentur versicherte, dass die Leute auf dem Boot seriös seien. Sie hatte schon oft mit der Fotografin und ihrem Auftraggeber gearbeitet. Und als ich mich wieder zurück an den Tisch setzte – inzwischen war mir wirklich speiübel –, fasste mir die Fotografin an die Schulter. »Du warst noch nie auf einem Schiff, stimmt's?« Sie schob mir eine Tablette zu. »Du bist seekrank, die wird dir helfen.« Und tatsächlich: Nach einer Stunde ging es mir schon viel besser.

Am nächsten Morgen hatten wir vor dem Shooting noch etwas Zeit. Ich streifte durch das Schiff. Vier Etagen, ein Kino, und ganz oben neben dem Swimmingpool ein Fitnessstudio – klimatisiert! Auf dem Sonnendeck sah ich den Mann stehen, der sich während des Essens über mich so amüsiert hatte. Er lehnte sich über die Reling und sah aufs Wasser. »Na, Zohre«, fragte er, als ich zu ihm trat. »Geht es dir besser?«

Ich nickte. Und er fragte mich, wie lange es her sei, dass wir aus Afghanistan gekommen seien. Und woher ich die russischen Wörter kannte, die ich am Abend einem Mädchen zum Spaß aufgesagt hatte. »Die«, sagte ich, »habe ich von eurer Mafia gelernt.« Er lachte. Dann erzählte ich ihm von Moskau und Kiew, und als er immer weiter nachfragte, schließlich die ganze Flucht. Vor allem bei Yussuf musste er lachen. Dabei gab es da eigentlich gar nichts zu lachen. Ich ratterte dennoch hintereinander all die russischen Schimpfwörter herunter, die ich von ihm gelernt hatte und für einen ganz kleinen Moment dachte ich, ob ich Yussuf für diese Pointe dankbar sein sollte. Aber das ginge dann doch zu weit.

Als ich fertig war, hielt mir der Mann die Hand hin: »Ich heiße David«, sagte er.

Später, beim Abendessen, als alle wieder um den langen Tisch saßen, erzählte David von meiner Flucht, auf Russisch und Englisch, und so lustig, dass es klang, als wäre es nur eine verrückte Reise gewesen. Dabei war es doch die Hölle gewesen. Ich mochte David trotzdem. An diesem Abend erfuhr ich, dass er der Auftraggeber war, von dem alle redeten. Ihm gehörte das Schiff.

Das Shooting lief ganz normal – sexy, aber ich hatte immer etwas an, wie sie gesagt hatten. Obwohl ich erst Angst hatte, denn einige Mädchen liebten es, an Deck mit freiem Busen herumzulaufen. Und ich dachte, wie gut, dass meine

Familie das nicht sieht. Die Fotos waren für einen Kalender, den David für seine Freunde und Geschäftspartner drucken ließ. David hat eigentlich mit Mode nicht viel zu tun. Er verdiene sein Geld im Gasgeschäft und habe auf der ganzen Welt erfolgreiche Firmen, erzählten die Mädchen.

Ein wenig eigenartig war das Shooting mit Elisabeth. Sie war Schauspielerin, halb Italienerin und halb Französin. Das Besondere an ihr waren aber ihre falschen Backenknochen und die aufgespritzten Lippen. Sie sah wirklich aus wie eine aufgequollene Barbiepuppe. Beim Shooting musste ich in einer Szene ihren Busen halten. Von mir sah man auf dem Foto nur die Hand, das hatte ich mit der Fotografin vorher ausgemacht. Isabell tuschelte mir ständig zu: »Push up! Push up!« Sie wurde immer energischer: »Push up!« Ich presste ihre Brüste nach oben und dachte, na, solange es nicht meine sind, ist es mir egal.

Am nächsten Tag winkte mich David zu sich. Sie gingen heute auf eine Party, meinte er und fragte, ob ich mitkäme. Ich dachte, alle vom Boot kämen mit, aber dann saßen nur die Fotografin und ausgerechnet Elisabeth mit mir im Rolls-Royce. Ich fand das komisch: Warum behandelte er mich anders als den Rest der Mädchen? Außerdem fuhr David nicht einmal mit. Ihn sah ich erst auf der Party.

Vor dem Hotel *La Place de Mougins*, in dem die Gala stattfand, lag ein roter Teppich. Und um den Teppich standen Hunderte Fotografen, und überall waren diese zuckenden Lichter. Sie riefen ständig irgendwelche Namen, zum Beispiel »Sharon«. Und dann sah ich sie auch, ganz dicht vor mir: Sharon Stone. Die kannte ich aus dem Film *Basic Instinct*.

David hatte mir schon auf dem Schiff erklärt, dass wir

auf eine Aids-Gala gingen. Ich wusste aber nicht, dass die Gala zum Filmfestival gehörte. Von diesem Festival hatte ich bis dahin noch nie etwas gehört. Aber jetzt wurde mir natürlich klar, warum in dieser Stadt und auch am Hafen so entsetzlich viele Leute waren.

Auch wir mussten über den Teppich laufen, links und rechts die Fotografen. Ich ging ziemlich schnell, weil mir das unglaublich peinlich war vor all den Leuten. Elisabeth dagegen blieb stehen, zog ihr Kleid ein wenig hoch und zeigte ihr Bein. Einige Fotografen kannten sie und riefen: »Elisabeth!« Und so dauerte es ziemlich lange, bis wir endlich von diesem Teppich wieder runterkamen.

Robert Cavalli, den Designer, der zwei Tische vor uns saß, den kannte ich auch. Und natürlich Boris Becker. Was mich aber besonders freute, war, dass ich dort Sarah wiedersah, mit der ich vor einem halben Jahr zusammen nach Paris gefahren war und die gleich bei einer Agentur untergekommen war. Sie war tatsächlich mit Wladimir Klitschko da! Den kannte ich auch aus Zeitschriften. Aber Sarah schien sich nicht zu freuen, zumindest nicht so wie ich. Ein kurzes »Hallo« brachte sie heraus, dann ging sie weiter. Ich hatte eine Weile gebraucht, bis ich irgendwann verstand, dass das bei Models eben so war. Wenn man mit ihnen alleine war, konnten sie sehr nett sein.

Ich klebte den ganzen Abend an meinem Stuhl, ich glaube, ich ging nur zweimal zur Toilette und wieder zurück. Ich wusste nicht, mit wem ich reden sollte, nicht einmal, wie ich mich bewegen sollte. Ganz anders Elisabeth: Sie stolzierte alle zehn Minuten nach vorne zur Bühne und dann wieder zurück. Was das für ein Tisch hier sei, man sitze gar nicht vor den Kameras, beschwerte sie sich bei David. Dabei saßen wir direkt am Fenster vor den Fotografen, die draußen ihre Teleobjektive in Stellung gebracht hatten. Nur versuchten sie damit natürlich nicht Elisabeth zu erwischen, sondern die Prominenz an der Bühne weiter vorne.

Ich bin seitdem oft auf Galas eingeladen gewesen, und immer fühlte ich mich ein wenig gelangweilt. Dieser Abend an der Côte d'Azur aber ist mir sehr in Erinnerung geblieben. Vielleicht, weil ich zum ersten Mal auf so einer Veranstaltung war. Ich musste immer wieder zu Roberto Cavalli hinübersehen, der so heftig lachte, dass sich seine große Brille hoch auf die Stirn schob. Während Sharon Stone auf der Bühne, immer, wenn sich der Spendentopf weiter füllte, ein wenig mehr Bein zeigte.

Wenn doch wenigstens noch ein paar andere Mädchen vom Schiff mitgekommen wären! So kannte ich niemanden, mit dem ich mich hätte durch die Tischreihen bewegen können. Während ich in meinen Gedanken den ganzen Abend wie mit einer Kamera durch den Saal gefahren war, musste ich von außen wie abwesend gewirkt haben.

Am nächsten Tag jedenfalls fragte mich David, was denn mit mir losgewesen sei. »Warum«, wollte ich jetzt von ihm wissen, »hast du von alle den Mädchen gerade mich mit auf die Gala genommen, und diese Elisabeth.«

Ich weiß nicht, woher dieser Argwohn kam, der sich plötzlich in meinen Ton gelegt hatte. David spürte ihn sofort. »Du bist völlig frei«, sagte er. Wenn ich das Gefühl hätte, dass er irgendetwas von mir wolle, könne ich jederzeit ein Flugzeug nach Paris nehmen. »Ich wollte dir einfach eine Freude machen. Ich dachte, auf so einer Gala erlebst du einmal etwas anderes. Wir Russen und ihr Afghanen, wir haben doch eine gemeinsame Geschichte.«

Er hatte den Punkt getroffen. Ich hatte tatsächlich geglaubt, David würde von mir mehr erwarten. Dabei wollte er gar nichts von mir – er mochte mich einfach nur. Und es tat mir sehr leid, dass ich auf die Freundschaft, die er mir angeboten hatte, so misstrauisch reagiert hatte. Ich gab zu, dass ich falsch über ihn gedacht hatte. Und er nahm es mir nicht übel.

Als mein Job zu Ende war, hatte ich meine Vorbehalte über Bord geworfen. Das Team auf dem Boot arbeitete bei den Shootings sehr professionell. Der Kalender war hochwertig und in der Branche beachtet. Die russische Aushabe der Vogue wollte die Fotos nachdrucken, aber das wollte David nicht. Sie hätten ihre Exklusivität verloren.

Als ich das Boot verließ, stand David mit den anderen an der Reling. Das war ein Zeichen von echtem Interesse, denn meistens saß er an drei Telefonen gleichzeitig in seinem Büro und erledigte so vom Boot aus seine Geschäfte. Ich rief ihm noch ein Dankeschön zu. Und er rief: »Schade, dass du schon wieder gehst.«

Abends saß ich wieder auf der alten Schlafcouch in dem kleinen Zimmer in St. Denis, in dem man nicht einmal in Ruhe auf der Toilette sitzen konnte, da ich alle Geräusche von Natalia mitbekam und umgekehrt. Und ich erzählte Natalia, was ich erlebt hatte. Es klinge übertrieben, aber sie könne mir alles glauben.

Ich selbst hätte nie geglaubt, dass ich jemals wieder zu einem Shooting auf das Boot eingeladen würde. »Zohre«, sagte ich mir, »so etwas erlebst du nur einmal.«

Doch im darauffolgenden Sommer rief die Fotografin

mich wieder an, und im nächsten wieder. Über die Jahre habe ich in David einen guten Freund gefunden. Wir telefonieren heute noch alle paar Wochen miteinander. Und jeden Sommer lädt er mich zu seinem Geburtstag ein.

Mittlerweile sitze ich sogar bei ihm, seiner Frau und den engen Freunden mit am Tisch. David und ich haben beide am 1. Juli Geburtstag. Deshalb lässt er mich die Geburtstagstorte anschneiden.

Natalia reiste einige Wochen vor mir zurück nach Deutschland. Auf Dauer war das Leben als Model nicht ihre Welt. Immer nur diese kurzen Begegnungen, wenige Tage oder Stunden für einen Job. Man redet viel, und danach sieht man sich nie wieder. Natalia ist Schauspielerin geworden. Sie spielt heute am Deutschen Theater in Berlin. Letztens schrieb sie mir: »Wir sollten wieder mal zusammen Kichererbsen essen.«

KAPITEL 3

Das war nun drei Jahre her. Ich hatte Erfolg. Inzwischen waren Fotostrecken von mir in der Glamour, der GQ und der Vogue zu sehen. Ich hatte in Rom, Mailand, Stockholm und in London gearbeitet. Und jetzt, endlich, hatte ich das Visum für New York. Robert wollte mich vom Flughafen abholen. Ich nahm meine beiden Koffer vom Laufband und stellte mich bei der Passkontrolle an. Ich hatte ziemlich große Koffer, und in einem lag zwischen den Jeans und T-Shirts mein Portfolio versteckt, weil meine Agentur mich gewarnt hatte, ich solle mich bloß nicht erwischen lassen, ich dürfe in Amerika nämlich eigentlich nicht arbeiten. Die ganze Zeit betete ich: »Bitte mach, dass ich meine Koffer nicht aufmachen muss!«

Der Beamte, der meinen Pass anguckte, war vielleicht Mitte vierzig und in seiner blauen Uniform genau der Typ Amerikaner, wie ich ihn mir immer vorgestellt hatte: groß und kräftig und schwarz. »Oh, gibt es in Afghanistan viele so hübsche Mädchen?«, fragte er. Und ich antwortete: »Sehr viele sogar, aber die meisten verstecken sich unter einer Burka.« Er lachte, gab mir meinen Pass zurück und sagte: »Willkommen in den Vereinigten Staaten von Amerika. Viel Spaß.«

In der Ankunftshalle wartete Robert, wir fielen uns in

die Arme. Und als er meine Koffer sah, war er spontan mit einem Taxi einverstanden.

Es dauerte länger als eine Stunde, bis wir endlich in Manhattan waren. Mit einem der gelben Taxis, die in einer langen Schlange vor dem Flughafen gewartet hatten, fuhren wir über den East-River, mitten hinein in die tiefen Schluchten, wie ich es in Filmen gesehen hatte, nur war alles viel größer. Ich versuchte aus dem Taxi heraus zu fotografieren, aber es war unmöglich, die Gebäude einzufangen, so hoch waren sie.

Es war spät und ich war hundemüde, aber ich wollte unbedingt noch zum Times Square! So oft hatte ich ihn auf den Fotos gesehen. Und tatsächlich: Überall flimmernde Wände, die Laufschriften und Filmspots – und die Coca-Cola-Werbung. Ich war überwältigt, das war New York! Die Kreuzung war voll von Menschen, so viele große, so viele schwarze Menschen. Auch die Frauen in New York waren riesig. Und die Kinder! Ich hatte schon davon gehört, aber ich hatte mir einfach nicht vorstellen können, dass die Amerikaner wirklich so dick sind.

Unser Apartment, das Roberts Vater für uns gemietet hatte, lag in der 3. Avenue, Upper East Side. Das Haus war alt, vielleicht sechs Stockwerke hoch, und es hatte diese Feuerleitern, die ich auch nur von den Fotos kannte. Ich fragte mich, warum die vorne am Haus angebracht sein mussten. Irgendwie störten sie. Das Zimmer war klein und ein wenig dunkel. Aber es war ein Zimmer in Manhattan, allein deshalb war es schön.

Am nächsten Morgen gingen wir in den Supermarkt. Diese endlosen Regalreihen! Fünfzig verschiedenen Sorten Orangensaft! Und Milchpackungen, so groß, dass ich Fotos davon machen musste. Irgendwie war alles riesig in New York. Selbst von den Hähnchenflügeln später beim Imbiss schaufelte der dicke Mann uns so viele auf die Teller, dass ich mich fragte, wer das alles essen soll.

Den ganzen Tag liefen wir durch die Straßen von Soho und Chinatown. Ich konnte gar nicht glauben, dass hier ein ganzes Viertel nur von Chinesen bewohnt wurde. Viele kleine Geschäfte, in denen alles Mögliche verkauft wurde: Plastikkoffer, Jade-Figuren und nachgemachte Designerhandtaschen. Die Schriftzeichen waren asiatisch. Und als ich mit einem Ladenbesitzer verhandeln wollte – ich bin schließlich Afghanin –, konnte der kein Englisch.

An einen kleinen Laden in der Nähe des Broadway kann ich mich besonders erinnern: Wir aßen dort jüdische Salzgurken, so richtig salzige. Robert wusste, dass ich Gurken liebe. Dazu kaufte er Kümmelbrot. War das gut! Und abends, als mir die Füße schon wehtaten vom vielen Herumlaufen, wollte Robert unbedingt noch ausgehen. Er hatte von einem Club gehört, der im Moment sehr angesagt sei. Er hieß *Tenjune* und war in Downtown. Und dort lernten wir Ellington kennen.

Das *Tenjune* war eine Art Lounge mit Parkettboden und einer blauen Decke voller Lichter. Um die Tanzfläche herum standen Bänke in Hufeisenform, was man aber kaum sah, denn der Laden war brechend voll.

Wir standen an der Bar, als mich ein Junge ansprach, fragte, ob ich allein da sei. Ich schüttelte den Kopf und nickte in Richtung Robert. Der Junge machte eine einladende Handbewegung, wir sollten mit an seinen Tisch kommen. Robert war einverstanden, und so saßen wir kurz darauf mitten in einer Traube von Mädchen an Ellingtons Tisch; so hieß der Junge. Er brachte mir einen Wassermelonensaft. »Alles, nur keinen Alkohol«, hatte ich gesagt. Robert trank Wodka. Ich glaube, alle in dieser Runde tranken Alkohol an diesem Abend, außer mir. Ich mache mir einfach nichts daraus. Ellington bestellte immer wieder für alle Getränke. Er sagte zwar jedes Mal, wir wären eingeladen, aber ich blieb skeptisch. Nicht, dass wir am Ende doch noch bezahlen mussten, denn so ein Club war teuer. Aber niemand brachte die Rechnung.

Ellington war Promoter, erzählte er uns. Und Aufgabe eines Promoters ist es, attraktive Leute in die Clubs zu holen, damit sie möglichst viele von denen anlocken, die dann die Getränke auch bezahlen müssen. Das *Tenjune* war sogar dafür bekannt, dass Prominente wie Janet Jackson dort feierten. Und schon am ersten Abend entdeckte ich tatsächlich Markus Schenkenberg, ein bekanntes Männer-Model. Er schritt die Treppe herunter, als sei der Club ein Laufsteg. Und ich bin sicher, dass er sein Getränk auch nicht bezahlen musste.

Wir blieben noch ziemlich lange an diesem Abend. Als wir gingen, verabredeten wir uns gleich für die nächste Party mit Ellington. Und in den nächsten Tagen und Wochen schickte er uns fast jeden Abend eine SMS und lud uns in einen der Clubs ein, denn wir gehörten jetzt zu seinen »Lockvögeln«, so nannte er das. Manchmal, wenn der Club weit weg lag, schickte Ellington uns eine Limousine, damit sie uns dorthin brachte – und wieder nach Hause.

Eigentlich war dieser »Service«, wie Ellington ihn nannte, nicht für Männer gedacht. Aber ohne Robert wäre ich nicht ausgegangen. »Ich komme nicht ohne Robert«, hatte ich gesagt. Ellington schien das nicht problematisch zu finden, und so saß Robert oft als einziger Mann mit sieben oder acht Mädchen am Tisch.

Jeder Promoter versuchte seine Gruppe möglichst in der Nähe des DJs zu platzieren. Da saßen wir dann alle in der Reihe und Robert mittendrin. Und anschließend chauffierte man uns zum nächsten Club, wenn Ellington mit einem der Besitzer eine Kooperation hatte. Manchmal war das ganze Lokal voller Models, die nichts zu zahlen schienen, weshalb ich mich irgendwann fragte, wie sich das für den Besitzer lohnen konnte.

Oft sah ich nachts in den Clubs dieselben Mädchen wieder, die ich tagsüber bei den Castings oder Shootings getroffen hatte. Ich hatte mich inzwischen bei einer New Yorker Model-Agentur beworben. Den Kontakt hatte meine Agentur in Deutschland hergestellt. Man sagte mir: Wir melden uns. Und sie meldeten sich tatsächlich. Ich hatte das Gefühl, sie alle kannten Ellington.

Und wer ihn kannte, lernte schnell auch andere Menschen kennen. Da war der Junge, den ich »Streetboy« nannte, weil er schwarz war und überall tätowiert, wie ein Gangster. Er versprach, er würde uns das New York zeigen, das wir nicht kannten. Und so nahm uns Streetboy mit ins *Corner*, das eigentlich nur ein Burger-Imbiss ist. Aber wenn man am Ende des kleinen Raumes eine Tür öffnete und die Treppe hinunterging, kam man in die Küche. Und dahinter waren Gänge und Räume, so eng und verwinkelt wie in einem Bienenstock. Und auch genauso voll.

Streetboy stellte mir eine Gruppe Rapper vor, von denen ich aber keinen kannte. Einer von ihnen fragte: »Hast du nicht das neue Video von Kanye West gesehen?« Er schien ein wenig verwundert. Ich kannte so einige nicht, die Streetboy uns vorstellte. Manchmal kam ich mir dabei ein wenig unbeholfen vor. Aber woher sollte ich sie auch kennen?

Die Frau, eine Schwarze mit einer langen Mähne, die vom Nebentisch aufstand und mir die Hand entgegenstreckte, als Streetboy mich vorstellte, die kannte ich aber. Es war Beyoncé, wie hätte ich sie nicht kennen sollen? Ein paar Tage vorher hatte ich noch Jay-Z im *Butter Club* gesehen. Und dass die beiden ein Paar waren, das wusste ich immerhin auch. Jay-Z tanzte an dem Abend zu seinem eigenen Song, was ich irgendwie eigenartig fand.

Und dann war da noch Menachem. Er war Anfang dreißig, seine Familie lebte in Antwerpen und handelte mit Diamanten. Menachem war Jude, ich glaube ziemlich wohlhabend, und orthodox, obwohl er keine Schläfenlocken mehr trug: Er hatte eine Glatze, was wohl ganz praktisch für ihn war. Robert nannte Menachem den »Diamantenjungen«. Was nett gemeint war.

Ich lernte bald so viele Menschen kennen, dass ich mir ihre Namen nicht mehr merken konnte. Und ich erinnerte mich an den Rat, den mir jemand in Deutschland einmal gegeben hatte: »Zohre, du bist nicht von hier, du bist den Leuten fremd. Du musst auf sie zugehen.« Der Jemand war Manfred Bogner, ein Designer, mit dem ich eine lange Zeit gearbeitet habe. Ich mochte ihn, und so versuchte ich auch in New York auf die Leute zuzugehen. Was gut war. Denn so lernte man dort leicht Menschen kennen, leichter als in Deutschland. Das war eben New York.

Ich dachte an Vater: Wie es für ihn wohl wäre, wenn er

dieses Amerika erleben würde, mit diesen vielen, so unterschiedlichen Menschen. Ich vermisste ihn. Mit jedem Tag New York wurde mir meine Familie fremder. Wie sollte ich ihnen erzählen, was ich erlebte? Sie hätten es nie begreifen können. Und deshalb meldete ich mich kaum bei ihnen. Aber jedes Mal, wenn ich in einem Schaufenster ein Kinderkleid liegen sah, dachte ich an meine Nichte Nazima, bei einer großen Portion Eis an Ali. Seit Mina sich von ihrem Mann getrennt hatte, waren wir uns wieder näher. Mina war viel offener geworden, und wir hatten, wenn ich aus Stuttgart zu Besuch kam, viel zusammen unternommen. Aber hier, New York, das war eine andere Welt.

»Hast du Lust auf Puerto Rico?« Die SMS von Ellington kam schon mittags. Ich rief ihn an: »Was passiert da?« Und ich überlegte, ob ich überhaupt hinfliegen konnte wegen des Visums. »Kein Problem, das bekommen wir hin.«

Wir fuhren von der Party, zu der Ellington wieder einmal eingeladen hatte, direkt zum Flughafen. Ich staunte schon ein wenig, denn drei Viertel der Passagiere waren Models, die alle in den Sitzen hingen und schliefen. Der Flug dauerte mehrere Stunden. Robert kam diesmal nicht mit, er musste arbeiten. Als wir starteten, stieg er wohl gerade in seinen Anzug, um zur Arbeit zu gehen. Ich fand es komisch, ohne ihn zu reisen. Aber vor allem hatte ich ein ziemlich schlechtes Gewissen, dass ich einfach ohne ihn flog.

Ein Bus brachte uns zu einem großen Hotel. Viel Glas und mit riesigen Kronleuchtern. Wir waren zu Eröffnung gekommen und Teil der Werbung. Wir hatten also nichts weiter zu tun, als dort zu sein und gut auszusehen.

Ich verstand mich mit den Models. Aber auch wenn wir

viel miteinander redeten, wusste ich nichts über sie – und sie nichts über mich. Vielleicht lag es daran, dass man die »Jobs«, wie sie genannt werden, so schnell wechselt, dass man sich gar nicht erst auf die anderen einlassen, an sie gewöhnen will. Und nachts, auf Ellingtons Partys, war auch nicht die richtige Zeit, um echte Freunde zu finden. Ich nannte sie alle meine »Night-Life-Friends«. Aber manchmal sehnte ich mich nach einer richtigen, echten Freundin.

Wenigstens sah ich in dem Hotel Anastassija wieder. Sie stand an der Rezeption und war mit ihren langen blonden Haaren unter den Puertoricanern unübersehbar. Ich rief laut »Anastassija!« und war so überrascht, dass ich sie fast umrannte, als ich auf sie zulief und sie umarmte. Anastassija und ich waren zumindest so etwas Ähnliches wie Freundinnen. Sie war zwar eigentlich Russin, kam aber aus Wiesbaden. In Deutschland begegneten wir uns öfter bei irgendwelchen Shootings und in den Agenturen. In Puerto Rico verbrachten wir die ganze Zeit zusammen und genossen das sehr. Ich sehe Anastassija heute aber nur noch manchmal in irgendwelchen Zeitschriften, als Freundin von Mickey Rourke. So ist das unter Models. Man verliert sich aus den Augen.

Abgesehen von dem Zusammentreffen mit Anastassija, war der Pool des Hotels das Beste an unserem Aufenthalt in Puerto Rico. Um ihn herum waren Zelte mit Tischen aufgebaut, auf denen riesige Teller standen, überladen mit Früchten, Karottenkuchen und kleinen Häppchen. Die Häppchen und der Kuchen waren so lecker, dass ich ununterbrochen aß. Und bald machten mich alle nach, sobald ich wieder in Richtung der Zelte ging: »I am so hungry!!«

Als ich zurückflog nach New York, freute ich mich auf Robert. Ich genoss die Zeit mit ihm. Wir redeten gar nicht sehr viel, und doch verstanden wir uns. Wir mussten auch gar nicht viel reden. Ich glaube, es liegt daran, dass Robert aus Russland kam, Jude war und doch in Deutschland lebte. Auch er war einer, der zwischen den Welten lebte, genau wie ich. Und er sehnte sich nach seinem Vater. So wie ich nach meiner Mutter.

Ich war neugierig auf Roberts Vater gewesen, denn Robert erzählte oft von ihm. Als Robert zwei Jahre alt war – damals hatte seine Familie noch in Russland gelebt –, war der Vater nach Amerika gegangen, einfach so. Robert blieb mit seiner Mutter und der Großmutter allein zurück. Später zogen sie nach Deutschland; erst zwanzig Jahre später hat Robert seinen Vater wiedergesehen. Und dies nicht etwa, weil der Vater ihn gesucht hätte, sondern weil Robert sich auf die Suche nach ihm gemacht hatte. Ich glaube, das war der Grund, warum Robert sich so oft Gedanken über ihn machte. Für ein Kind ist es schwer zu verstehen, egal wie alt es ist, dass der Vater gar nicht herausfinden will, was aus ihm geworden ist.

Roberts Vater war Millionär. Er hatte anfangs in den New Yorker Markthallen Kisten geschleppt und irgendwann begonnen, mit Geflügel zu handeln. Nun hatte er ein Büro hoch oben in der Fifth Avenue und exportierte Hähnchen in die ganze Welt.

Wir trafen uns mit ihm in einem Restaurant. Als Robert und er sich gegenübersaßen, war ihre Ähnlichkeit nicht zu übersehen. Robert war als Kind oft gesagt worden, dass er viel von seinem Vater hätte. Doch auch wenn sie sich ähnlich sahen, blieb es kalt zwischen ihnen. »Wie geht es dir?«, »Was machst du?« … Aber die Fragen waren nicht ehrlich, sie kamen zu schnell hintereinander. Und manchmal wussten sie gar nicht, was sie sagen sollten. Robert war nach dem Abend enttäuscht. Es hatte schon ein paar solche Abende gegeben. Robert hatte gehofft, die Zuneigung würde von selbst kommen und irgendwie wachsen. Aber er konnte sie bei seinem Vater einfach nicht finden.

Ich wollte ihn an diesem Abend trösten, redete ihm zu, den Kontakt nicht abzubrechen, solange er sich dabei nicht zu unwohl fühle. Schließlich sei es sein Vater. Aber insgeheim tat es mir sehr weh, Robert so zu sehen. Ich war wütend auf seinen Vater. Denn selbst von meinem Vater, vor dem ich einmal so furchtbare Angst gehabt hatte, wusste ich doch immer, dass er mich liebte.

Robert musste zurück zu seiner Firma nach Deutschland, sein Praktikum war beendet. Und jetzt kam mir unser Zimmer noch dunkler, noch kleiner vor als sonst. An dem Morgen, als er abflog, zog ich mich an und verließ die Wohnung ohne Frühstück, lief einfach los, ohne Ziel, stur geradeaus, zwischen hupenden Taxis hindurch, vorbei an Menschen, die zur Arbeit gingen. Mir schien die ganze Stadt wie erloschen. Der Sommer war vorbei, und vom East-River her fegte ein eisiger Wind durch die Straßenschluchten. Die Frische tat mir gut, ich musste nachdenken, einen klaren Kopf bekommen. Ich hatte am nächsten Tag ein Casting bei Levi's, eine Riesenchance. Seit Tagen hatte ich mich darauf vorbereitet, war früh ins Bett gegangen, um ausgeruht zu sein. Doch jetzt war es mir plötzlich egal. Robert war weg, und ich wusste nichts mit dieser Stadt anzufangen. Dabei hatte *ich* mich dafür entschieden, in New York zu bleiben, ganz allein. Mein Visum für die USA war noch vier Monate gültig, und das Modeln war gut angelaufen. Ich arbeitete mit bekannten Fotografen, war stolz, meine Fotos in amerikanischen Zeitschriften zu sehen. Aber ich fühlte mich auch einsam, mitten unter diesen vielen Menschen.

Am Abend fühlte ich mich dann richtig elend, war kraftlos, fröstelte. Als ich aufstehen und zur Toilette gehen wollte, sackten mir die Beine weg. Ich begann zu glühen. Ich hatte Fieber.

Am nächsten Morgen ging es mir noch schlechter. Ich rief die Agentur an, ich würde nicht zu dem Termin bei Levi's gehen können. Das Fieber war immer noch da. Meine Agentin rief immer wieder an, versuchte mich zu überreden, ein Taxi zu nehmen und einfach hinzufahren. Aber es war ganz unmöglich. Ich schaffte es kaum in die Küche. Und draußen war es kalt geworden. Sehr kalt.

Eigentlich war ich vor allem wegen dieses Termins geblieben, und jetzt konnte ich nicht hin! Ich hatte einen afghanischen Restaurantbesitzer angerufen, den wir in New York kennengelernt hatten. Er schickte mir jeden Tag Suppe, etwas anderes konnte ich sowieso nicht essen. Der Laptop stand die ganze Zeit vor mir auf der Bettdecke. Ich redete mit Robert über Skype, stundenlang. Ich konnte gar nicht mehr aufhören, mit ihm zu sprechen, sein Gesicht auf dem kleinen Bildschirm zu sehen. Jeden Tag skypten wir, bis es bei Robert morgens um vier war und er in drei Stunden wieder zur Arbeit musste.

Doch nach einigen Tagen erreichte ich ihn nicht mehr. Er hatte zwar gesagt, er wäre auf einer Geschäftsreise, aber ich machte mir Sorgen. Plötzlich klingelte es an der Tür. Als ich öffnete, stand Robert vor mir, mit großen Tüten in den Händen. Ich fiel ihm um den Hals.

Robert hatte von demselben Afghanen Essen für uns

mitgebracht, der mir auch die Suppe brachte, und aus dem Supermarkt Obst und Säfte. Sogar Filme hatte er irgendwo ausgeliehen. Er war nur für das Wochenende gekommen. Aber selbst die zwei Tage halfen mir, gesund zu werden. Er machte mir Tee, kochte für mich. Ich war sehr dünn geworden.

Robert kam jetzt, wenn er ein paar Tage frei hatte und einen günstigen Flug im Internet fand, regelmäßig nach New York. Bei seinem dritten Besuch ließ er mir jemanden da, den er in einem kleinen Laden in Soho entdeckt hatte: einen kleinen japanischen Kampffisch. Er war gelb-violett, keine fünf Zentimeter lang und hatte Flossen, die aussahen wie Schleier. Er lebte auf dem Schreibtisch in einem großen Goldfischglas. Wenn ich die Wohnung verließ, stellte ich ihn auf die Fensterbank. Ich dachte, ihm würde diese dunkle Wohnung sicher auch nicht gefallen. Einmal wollte ich ihm frische Luft verschaffen, obwohl ich wusste, dass Fische durch Kiemen atmen. Es war mehr für *mein* Gefühl, er sollte nicht so antriebslos und traurig werden wie ich in letzter Zeit. Deshalb öffnete ich das Fenster.

Als ich abends zurückkam, sah ich, wie immer, zuerst zum Fischglas. Aber mein Fisch war weg. Sofort verdächtigte ich eine Katze, die vielleicht vom Nebenbalkon durchs Fenster gekommen war. Aber als ich genauer ins Glas sah, lag der kleine Kampffisch flach am Boden, völlig reglos. Ich rief sofort Robert in Deutschland an: »Mein Fisch ist tot!« Er fragte, ob das Wasser warm genug sei. Ich kippte etwas warmes Wasser nach und wartete. Nach einer Weile begann sich der Fisch zu bewegen. Ich hatte es wohl zu gut gemeint, die Wohnung war durch das offene Fenster völlig ausgekühlt. Und ein Kampffisch ist ein Tropenfisch, der, wenn das Wasser kühler wird, in Winterstarre fällt.

Irgendwie war auch ich in eine Art Winterstarre gefallen. Ich hatte keine Lust mehr auf Partys und konzentrierte mich auf meine Arbeit. Als Model muss man schließlich frisch aussehen. Vielleicht lag es auch nur daran, dass Robert nicht dabei war. Jedenfalls hatte ich dieses ganze Nachtleben irgendwie satt.

Dafür ging ich nun ab und zu mit Menachem aus, dem Diamantenjungen, wie Robert ihn nannte. Ich begleitete Menachem in jüdische Restaurants, von denen er wirklich viele kannte. Ich mochte jüdisches Essen. Juden essen kein Schweinefleisch, und beim Schlachten schreiben sie das Schächten vor. Es war also fast dasselbe wie *halal* – so nennen die Muslime alles, was gut und erlaubt ist, beim Essen, aber auch sonst. Meinem Vater, der immer solche Angst vor Schweinefleisch hatte, wäre es wahrscheinlich dennoch nicht recht gewesen, dass ich in jüdische Restaurants ging. Die meisten Afghanen mochten keine Juden.

Menachem erzählte mir viel über die Juden, über Abraham und seine Söhne Ismael und Isaak. Ismael ist der Stammvater der Araber und damit der Muslime. Eigentlich waren sie Stiefbrüder, wie für mich Sayed oder Ramin. Sie hatten unterschiedliche Mütter, genau wie wir. Ich fragte mich, wie sie sich nur deshalb so verachten konnten. Mir war das als Grund zu wenig. Ich lag oft in New York wach im Bett und dachte darüber nach. Und ich konnte sagen, dass ich meine Brüder liebte. Auch wenn sie mir viel angetan hatten.

Schließlich lernte ich bei Menachem persische Juden kennen, mit denen ich sogar Farsi sprach. Das verwirrte mich ziemlich. Mit den wenigsten Muslimen konnte ich Farsi sprechen. Aber jetzt mit Juden!

Und einmal lud mich Menachem zum Shabat ein. Was

Shabat sei, fragte ich ihn das erste Mal. Er sagte: »Komm einfach!« Freunde kamen, es wurde gekocht, es gab Brot und Wein. Sie zündeten Kerzen an. Es wurde gesungen und erzählt und viel gelacht. Wie modern sie waren, und trotzdem religiös! »Bei uns passt das nicht zusammen. Religion und Musik«, sagte ich. Menachem antwortete: »Aber es gehört zusammen!« Wie einfach alles sein konnte, dachte ich.

In meinen letzten zwei Monaten New York lernte ich durch Menachem viele Juden kennen. So viele, dass ich das Gefühl hatte, alle interessanten Leute in Uptown Manhattan seien Juden. Zumindest alle klugen, und einige von den Verrückten. Ich war froh um Menachem. Er war so anders als die Menschen auf Ellingtons Partys. Und ich glaube, dass auch Menachem ein Grund war, warum ich doch noch in New York blieb.

Ich musste in dieser Zeit öfter an Natalia denken, die schon nach einem Jahr Paris wieder mit dem Modeln aufgehört hatte und Schauspielerin geworden war. Ihr gab das Modeln nichts. Von einem Shooting zum nächsten, diese nichtssagenden Gespräche, die flüchtigen Bekanntschaften, die Partys. Und ich konnte sie verstehen, denn mir ging es mittlerweile ähnlich.

Als ich nach sechs Monaten New York verließ, war mein Visum abgelaufen. Ich hatte meine Zeit dort genossen, war für mehrere Designer auf der New Yorker Fashion Week gelaufen. Auch Ellingtons Partys hatte ich genossen. Sie gehören zu New York, und ich hatte Hunger nach diesem Leben. Ich wollte alles ausprobieren. Aber jetzt reichte mir das nicht mehr.

TEIL 4

Ich würde Vater irgendwann die Wahrheit sagen müssen, über mich und Robert. Wie würde er wohl reagieren? Ausgerechnet ein Jude. Vielleicht muss noch ein bisschen Zeit verstreichen, dachte ich. Besser noch ein wenig warten, nach allem, was passiert war.

Robert zog nach Düsseldorf, er war fertig mit dem Studium und hatte dort Arbeit bei einer Internetfirma gefunden. Und ich zog ein halbes Jahr später hinterher. Ich mochte das Viertel, in dem wir lebten. Friedrichstadt, mit seinen kleinen Cafés und Geschäften, mochte ich viel lieber als die Innenstadt mit den teuren Boutiquen. Meine Familie dachte, ich hätte mir ein Zimmer gemietet. Wegen dieser »Mode«, wie sie immer noch sagten. Und immer noch mit einem leichten Vorwurf in der Stimme. Sie hätten es nicht ertragen, dass ich mit Robert zusammenlebte. Wenn ich meine Familie in Kassel besuchte, dann log ich jedes Mal. Ich wollte die Wahrheit sagen: »Vater, ich lebe mit einem Mann zusammen. Er ist Deutscher, kommt aus Russland *und* ist Jude!« Aber wenn ich mir das vorstellte, verließ mich der Mut. Ich konnte mich einfach nicht dazu durchringen, es ihm zu sagen. Und so verschob ich es jedes Mal auf später.

Dann lernte ich Najiba und Reza bei einem Abendessen kennen. Eine Familie aus der afghanischen Gemeinde in Kassel hatte mich eingeladen, so wie Najiba und Reza. Wir verstanden uns von Anfang an. Es war, als hätten wir uns schon immer gekannt. Sie waren beide Ärzte: Afghanen – aber moderne Afghanen. Sie beeindruckten mich, weil sie so frei waren und trotzdem aus meinem Land. Ihre zwei Töchter waren in meinem Alter und studierten sogar. Noch an dem Abend luden sie mich für den nächsten Tag zu sich ein. Und als ich wieder einmal in Kassel war, luden sie mich wieder ein. Und bald besuchten sie mich auch in Düsseldorf.

Da lernten sie dann auch Robert kennen. Einige Male stellte ich mir vor, wie es gewesen wäre, mit ihnen als Eltern aufzuwachsen. Aber ich verwarf den Gedanken. Mein Vater war mein Vater. Niemals hätte ich ihn gegen irgendjemand anderen eingetauscht!

Als wir einmal wieder in Najibas und Rezas Küche zusammensaßen und ich über meinen Vater erzählte, schlug Reza plötzlich mit der Hand auf den Tisch: »Das ist keine Versöhnung!«, rief er. »Das ist eine Vermeidung, Zohre!« Es sei eine Lüge, die ich lebte. Und eine Lüge sei unrecht. Reza war richtig aufgebracht. »Du musst wissen, wer du bist. Was für ein Leben du leben willst«, rief er noch lauter. »Und wenn du es weißt, dann musst du es leben!« Versöhnung sei der Moment, in dem meine Familie dieses Leben akzeptiere. Mit allem, was dazugehöre.

Was mich besonders traf, war, dass Reza fragte, ob ich meinen Vater für dumm verkaufen wolle. »Das ist unwürdig, von der Tochter so belogen zu werden!« Und er sagte noch: »Du musst ehrlich sein, dann kann er für sich entscheiden, wie er mit deinem Leben umgeht.« Reza hatte recht.

Schließlich waren es auch Najiba und Reza, die auf die Idee mit der Hochzeit kamen. Reza stammt aus Ghorband, ungefähr 50 Kilometer von Kabul entfernt. Er ist ein direkter Nachfahre des Propheten Mohammed. Und einen höheren Rang konnte man in Ghorband kaum haben. In der muslimischen Gesellschaft gilt es als große Ehre, ein Seyyid zu sein; so heißen die Nachkommen.

Auch Vater stammt aus Ghorband. Er kannte Rezas Familie und dessen Schwager. Und ein Nachkomme Mohammeds war für Vater etwas ganz Besonderes.

»Liebt ihr euch?«, fragte Reza an dem Abend. »Wenn ja, dann heiratet! Mach es möglich, dass deine Familie dein Leben akzeptieren kann!«

Eine Muslimin und ein Jude? Heiraten? Robert und ich hatten nie daran gedacht, dass das gehen könnte. Doch Reza ließ sich nicht von der Idee abringen. Er kannte einen Imam. Und der sah in einer Eheschließung zwischen einem Juden und einer Muslimin tatsächlich kein Problem. Er wollte nicht einmal, dass Robert konvertierte. Denn es könne schließlich niemand überprüfen, ob Robert sich aus Überzeugung zum Islam bekenne. Nur die Kinder müssten unbedingt in der Tradition des Islam erzogen werden, was uns als das geringste Problem erschien. Denn bei den Juden ist nur das Kind einer jüdischen Mutter auch Jude.

Irgendwann versammelte sich meine ganze Familie, Vater, meine Stiefmutter, Ramin, Sayed, Salim und Mina, als Reza seinen Besuch angekündigt hatte. Ich glaube, Vater war stolz, ihn in der kleinen Wohnung im siebten Stock als seinen Gast begrüßen zu dürfen. Reza wollte nicht, dass Vater ihm die Hand küsste, wie es in Afghanistan selbstverständlich gewesen wäre bei einem wie Reza, einem von diesem Rang. Aber es passte einfach nicht mehr in Rezas Welt. Ich hatte ein wenig Sorge, dass Vater das als Beleidigung empfinden könnte, wenn Reza es ihm verweigern würde. Aber es ging alles gut.

Reza sprach lange mit Vater. Er sagte: »Wenn du nicht zustimmst, dass deine Tochter einen Nicht-Muslim heiratet, dann wird sie in wilder Ehe mit ihm leben, sie wird mit ihm schlafen und Kinder bekommen. Dagegen kannst du gar nichts machen.« Und Vater ist klug, er wusste genau, dass Reza recht hatte. Ich glaube auch, er wusste die ganze Zeit, dass ich ihn angelogen hatte. Und ich glaube, dass das bei uns Afghanen, die im Westen leben, einfach so ist. Dass dieses gegenseitige Anlügen geduldet wird, um den Schein zu wahren. Dabei war die Wahrheit so einfach. »Mit der Hochzeit deiner Tochter und ihrem Bräutigam wirst du keine Tochter verlieren, sondern einen Sohn dazugewinnen«, sagte Reza noch. Zumindest hat er es uns, Robert und mir, später so erzählt.

Mir war nicht so wichtig, ob Robert und ich verheiratet waren oder nicht. Mein Gefühl für ihn würde sich dadurch nicht ändern. Aber es war eine große Chance! Die Chance, mein Leben endlich zu leben. Mit meiner Familie *und* mit Robert. Ich fiel Reza um den Hals, als er zurückkehrte und sagte: »Er ist einverstanden!«

Und so wurde die Hochzeit bei Najiba und Reza gefeiert. Es war keine richtige Hochzeit, mehr eine Verlobung oder etwas dazwischen. Aber es reichte für meine Familie, um keine Schande zu empfinden, wenn wir zusammenlebten. Najiba und Reza haben ein sehr großes Wohnzimmer, mit mehreren Sofas und vielen Stühlen. Najiba hatte für alle Lamm gekocht. Robert und ich saßen auf dem Sofa und reichten uns gegenseitig afghanisches Gebäck. Wir flüsterten uns zu, dass wir uns liebten. Und in diesem Moment war ich glücklich. Als wir uns küssten, vor allen Leuten, vor Vater, meinen Brüdern, war meine letzte Hemmung gefallen. Ich spürte keine Scham. Ich fühlte mich frei.

Es war ein schönes Fest. Vor allem deshalb, weil Vater am Ende sogar tanzte. Und auch meine Stiefmutter tanzte, ziemlich ausgelassen sogar. Schließlich tanzte Vater sogar mit der Mutter von Robert – einer Jüdin! Ich war ihm dankbar, dass er es zuließ und auf Rezas Worte gehört hatte. Wenn afghanische Väter ihre Töchter lieben, brauchen sie einen Grund, der ihnen hilft, sie loslassen zu können, aus freien Stücken. Und der sie dennoch das Gesicht bewahren lässt.

Die Hochzeit ist jetzt zwei Jahre her. Ich lebe immer noch in Düsseldorf und arbeite immer noch gerne als Model. Vor einem halben Jahr habe ich meinen deutschen Pass bekommen! Ich war außer mir vor Freude. Ich hielt ihn in den Händen, als wäre es das kostbarste Geschenk.

Eigentlich könnte alles gut sein. Meine Familie und ich sehen uns regelmäßig. Ich verdiene gutes Geld und habe einen tollen, verständnisvollen Mann an meiner Seite. Wir könnten sogar Babys bekommen.

Vielleicht kann ich aber noch nicht alles gut sein lassen. Ich bin noch nicht so weit.

Vor vier Wochen haben Robert und ich uns getrennt.

Menschen zu verlassen, die mich begleitet, mir geholfen haben, damit ich weiterkomme, das ist irgendwie mein Weg geworden. Wie oft habe ich schon jemanden zurückgelassen. Es tut weh, denn ich verletze jedes Mal die, die ich am meisten liebe.

Robert und ich haben nicht gestritten. Wir haben viel geredet und uns in den Arm genommen. Aber ich wusste einfach nicht mehr, ob *ich* das war, diese Zohre, die da mit Robert zusammenlebte. Verheiratet. Und Model. »Du musst wissen, wer du bist. Was für ein Leben du leben willst«, hatte Reza gesagt. »Und wenn du es weißt, dann musst du es leben!« Ich wusste eigentlich lange nicht, wer ich war. Und was für ein Leben ich leben wollte. Nicht in Stuttgart, nicht in Paris. Und schon gar nicht in New York.

Ich will es herausfinden. Ich will nach Afghanistan reisen. Und ich weiß nicht, was das Land mit mir machen wird. Ich frage mich so oft, ob es den Bäcker an der Ecke noch gibt. Unser Haus, den Hof mit dem Apfel- und dem Kirschbaum, der so wunderbar blühte. Und manchmal denke ich auch an Jasmin. Ich hoffe, wenn sie in Kabul geblieben ist, dass sie geheiratet hat. Keinen Mann zu finden und damit in Schande zu leben, das war immer ihre größte Angst.

Ich könnte mir vorstellen, irgendwann mit dem Modeln aufzuhören. Es hat mir viele Möglichkeiten eröffnet, ich finde es immer noch aufregend über den Laufsteg zu gehen, und bin stolz auf meine Bilder. Aber ich könnte mir auch vorstellen, etwas anderes zu tun. Etwas, was mit dem zu tun hat, was ich selbst erlebt habe.

Und dafür ist es Zeit geworden, wirklich frei zu sein. Niemanden mehr zu brauchen, wie Adel, Klaus und Dörthe, Reza, Björn oder Robert. Unabhängig sein. Ehrlich sein.

Ich habe gestern damit angefangen. »Hallo«, hörte ich mich durch den Hörer sagen.

»Wer ist da?«

Pause. »Ich bin es. Zohre.«

»Wo bist du?« Die Stimme am anderen Ende klang wie immer, tief und warm.

»Ich muss dir etwas sagen: Ich habe mich von Robert getrennt«, sagte ich.

DANKSAGUNG

Ich danke meinem Gott, und danke meiner Mutter. Auch wenn ich Euch nicht sehen kann, spüre ich doch Eure Stärke in mir.

Und ich danke all den wunderbaren Menschen, die mich auf meinem Weg begleitet und mir so viel Mut gemacht und Kraft geben haben:

Dr. Andreas Ani
Dr. Najiba Behmanesh
Dr. Reza Behmanesh
Manfred Bogner
Dr. Hartmut Bretz
Norbert Bretz
Mika Ceron
Prof. Dr. Eisenmann–Klein
Dulio Gualtierie
Dr. Hakimi
Homeira Heidary
Steven Hirth
David Kaplan
Reinhard Keck
Gerhard Lambrecht
Robert Litwak

Orlando Mettmann
Björn Schimmel
Gabi und Jürgen Schimmel
Dr. Schreiber
Dr. Sedlaczek
Marion Stuckstätte
Alfred Wieder

Ich bedanke mich auch bei meinen Lehrern, ohne die ich die Schulzeit nicht durchgehalten hätte, insbesondere bei Herrn Appelhans, Herrn und Frau Saalfeld und Herrn Eisenbache.

Und ich bedanke mich bei den beiden Autoren, Barbara Opitz und Kuno Kruse, denen es gelang, mein Leben in ein Buch zu fassen, indem sie nicht einfach nur schrieben, was sie hörten, sondern mit mir fühlten und dachten, mich verstanden und mich verständlich machten.

Mein besonderer Dank gilt meinem Vater und meiner Familie. Es ist nicht leicht, einen passenden Weg zu finden, sich und seine Werte nicht zu verraten und dennoch dem Leben offen zu begegnen. Ich weiß, meine Familie hat es gut mit mir gemeint. Auch wenn wir nicht gleicher Meinung waren.

Werde Teil der Bastei Lübbe Welt
You Tube
www.luebbe.de
Lesen, rezensieren, Bücher gewinnen
Lerne Autoren, Verlagsmitarbeiter und andere Leser kennen
BASTEI LÜBBE
www.luebbe.de